D1414701

De la terre et des humains

Regards écologiques

ÉDITIONS L'ESSENTIEL
Montréal
1996

Données de catalogage avant publication (Canada)

Beauchamp, André, 1938-

De la terre et des humains: regards écologiques

Comprend des réf. bigliogr.

ISBN 2-921970-04-X

1. Écologie humaine. 2. Biologie - Aspect social.
3. Écosystèmes. 4. Éthique de l'environnement. 5. Morale sociale. I.
Titre.

GF50.B42 1996   304.2   C96-941222-3

Couverture: Pierre Desmarais

Typographie et mise en pages:

Communications Jo Ann Champagne inc.

Dépôt légal: 4e trimestre 1996

Bibliothèque nationale du Québec

Bibliothèque nationale du Canada

Tous droits de traduction et d'adaptation réservés; toute reproduction quelconque de ce livre par quelque procédé que ce soit, notamment par photocopie ou microfilm, est strictement interdite sans l'autorisation écrite de l'éditeur.

Copyright©: Les Éditions l'Essentiel inc.

LES ÉDITIONS L'ESSENTIEL INC.

C.P. 208, SUCCURSALE ROXBORO

ROXBORO (QUÉBEC) CANADA H8Y 3E9

ISBN 2-921970-04-X

La collection Pour l'amour...

L'idée d'une telle collection m'est venue à la suite de conversations qui m'ont profondément marquée. Il m'est arrivé à quelques reprises de rencontrer des gens passionnés par leur travail, par leur art, par leur engagement au service d'une cause, par ... Au moment où j'écris ces lignes, je pense tout particulièrement à Ludmilla Chiriaeff qui vient de nous quitter. *Pour l'amour de la danse*, elle s'est imposé une incroyable discipline de vie afin d'atteindre les sommets. *Pour l'amour de la danse*, elle a surmonté tous les obstacles rencontrés et réussit à communiquer à d'autres la passion qui l'animait.

Une telle personne mérite d'être entendue. J'en connais d'autres taraudées d'une telle passion, d'un tel amour: Jean Vanier, Hubert Reeves, Agnès Grossmann, Théodore Monod... C'est à des personnes comme elles que je dois l'idée de la présente collection.

Pour l'amour de ... C'est le secret des vies données. C'est le secret des réflexions qui vont au cœur des choses. Les livres que vous retrouverez dans cette collection sont des livres engagés. Je n'ai pas voulu laisser la parole uniquement à de grands personnages. Je n'ai pas voulu non plus imposer des restrictions quant aux sujets qui y seraient abordés ou au genre littéraire privilégié. Ma seule exigence a été que les réflexions proposées jaillissent du cœur de personnes en amour avec la vie, avec ce qui les fait vivre.

Puissent lecteurs et lectrices y puiser une inspiration qui transformera le regard qu'ils portent sur leur propre vie!

Jo Ann Champagne
éditrice

INTRODUCTION

«Il faudra
pour que la vie sur terre
retrouve sa splendeur
une grande alliance
entre culture et nature,
dans laquelle
savoir et sagesse populaires devront jouer
un rôle aussi important
que les immenses progrès
effectués dans les domaines
scientifiques et technologiques.»

Frederico Mayor
directeur général de l'UNESCO
(janvier 1996)

*T*ant de livres ont déjà été écrits sur l'environnement! Faut-il ajouter encore à cette immense littérature? Faut-il couper des arbres pour obtenir le papier (avec ou sans chlore), entrer le texte sur ordinateur (énergie), imprimer (encres plus ou moins nocives), couper, relier, entreposer, pour ensuite assurer une distribution à coûts élevés de pétrole? Tout cela pour sauver des arbres et du pétrole? Faut-il vendre, garder sur les rayons, et, qui sait, commenter, recenser, critiquer et recommencer à l'infini le cycle de l'écriture, de l'imprimerie, du commerce? Pour prétendument sauver l'environnement, faut-il porter un peu plus atteinte à ce même environnement? Lors des débats préliminaires du projet Grande-Baleine, le «petit» Kennedy était venu rencontrer les commissions d'examen. Il avait mobilisé son jet privé, ses journalistes et cameramen, son fan-club pour témoigner du drame qui se passait là. Il aurait mieux servi la Terre en restant chez lui et en se contentant de parler de New-York ou de Washington. Mais il eût manqué au spectacle la couleur locale. L'environnement sert alors de prétexte à la carrière.

En environnement, il n'y a pas de cause absolument pure. Dure… très dure leçon. En écrivant sur l'environnement, ses plus pathétiques défenseurs entrent souvent à fond de train dans le «business system». Il faut lire certains écrits du *Worldwatch* où l'on se complaît à se citer soi-même et à dire et redire qu'il y a trente traductions du rapport annuel, des dizaines d'universités à inscrire le *State of the World* dans le curriculum, référer à des centaines de documents de soutien.

Nous consommons l'environnement et sa mystique comme nous consommons le reste. C'est un thème à la mode, qui fait lire et vendre, qui permet de couper des arbres afin de pleurer sur les arbres coupés, de prendre l'avion pour aller dire à des gens au bout de la Terre de ne pas prendre l'auto, ou les avertir que désormais voyager en avion est immoral. Vanité des vanités! L'éditeur du livre d'Angeles Arrien prend la peine de dire que, pour compenser la ponction que la parution du livre exercera sur les ressources naturelles, il s'assurera de la plantation de nouveaux arbres (Arrien 1993).

J'ai découvert l'environnement au début des années soixante-dix, dans la radicalité des contestations politiques et sociales du temps, au moment où l'on disait qu'il fallait tout faire sauf continuer le système en place. J'aimais alors une citation de Mounier datant des années quarante et disant que le monde actuel étant à l'envers, il fallait le renverser pour le mettre à l'endroit. Si en toute logique, l'envers de l'envers est l'endroit, dans la vie réelle l'envers de l'envers peut être simplement une autre envers! Combien de gens ne font que reproduire l'image parentale dont ils auraient tant voulu s'éloigner.

Le premier vrai livre que j'ai lu sur l'environnement était le rapport de René Dubos et Barbara Ward: *Only one Earth (Nous n'avons qu'une terre)*, qui s'inscrivait dans la première conférence de Stockholm (1972) sur l'environnement. Le livre est maintenant introuvable, du moins en français. Barbara Ward était sociologue et soucieuse des questions de l'éthique sociale. René Dubos était un biologiste. Lauréat du prix Nobel, on lui doit la découverte des antibiotiques. Mais c'était un extraordinaire amoureux de la Terre. Dans ses écrits, il ne cesse de dire et redire la force incroyable de la Terre, sa capacité de reconstruire ses équilibres, y compris avec les humains. Son humanisme et sa pondération paraissent surannés à une génération subitement angoissée de la Terre en soi.

Notre monde se meurt d'un divorce. Les uns ne pensent que technique et veulent tout assujettir à l'être humain. D'autres ne voient que la Terre, ou la Nature blessée, et pleurent sur le viol technique commis par l'être humain, comme si le péché originel de la Terre s'appelait l'humanité. René Dubos entrevoyait les réconciliations possibles faites de science, de patience, de mystique, d'insertion, d'astuce, d'harmonie. Donner une chance à la Terre. Mais donner aussi aux hommes un espace d'ouverture et de créativité. Il disait que, dans sa jeunesse, l'aventure était encore possible, alors que maintenant l'Everest devient un site touristique. La Terre est devenue petite. Ce n'est pas sa faute à elle: elle était insondable autrefois. Mais cette situation nouvelle change considérablement nos rapports à la Terre. Ce qui nous manque aujourd'hui, ce qu'il nous faut par-dessus tout, c'est cette alliance du sociologue et du biologiste. Il nous faut des amoureux des humains et des amoureux de la vie. La question écologique est indissociablement sociale et biologique. Elle est sociale, car les pires menaces contre l'environnement sont la pauvreté et la détresse des pauvres, ces situations désespérées où des gens détruisent leurs dernières forêts pour trouver du bois de chauffage afin de cuire leurs aliments, ou délaissent leurs cultures vivrières pour exporter du café ou des agrumes au pays du premier monde. Tout cela sur un fond de dette internationale. Or la pauvreté est le sous-produit de la richesse.

Chacun, pensant à la loto, se dit que la richesse abolirait sa pauvreté. Hélas, c'est plus compliqué que cela, et c'est plutôt le contraire qui se produit. La richesse des uns engendre la pauvreté des autres. Il existe à Ifrane, au Maroc, un collège américain construit, dans des délais impossibles, sur l'ordre du roi. On y enseigne, en anglais bien sûr, la science selon le curriculum américain. Les murs de la bibliothèque sont lambrissés de chêne. Les chambres des étudiants sont chauffées à l'électricité. Or chauffer à l'électricité dans un pays où une large part de la production électrique vient de centrales thermiques est une incohérence énergétique. Autant que possible on ne fait pas de la chaleur avec de l'électricité. Mais pour tenir son rang, ne faut-il pas vivre à l'américaine? C'est un collège pour l'élite, cher à fréquenter naturellement et donc inaccessible aux pauvres, mais tout de même largement subventionné par l'État.

Partout les riches doivent tenir leur rang. Pour qu'on y parvienne, l'humble berger perdra son troupeau, et le paysan sa terre. On coupera l'olivier pour un hôtel ou un golf. Et, graduellement, l'espérance des pauvres s'anéantira. Ils viendront par milliers, par millions chercher à la ville le dernier reflet d'espérance, dans la musique, l'alcool, la drogue et la pollution. Que ce soit à Casablanca, à Rio, à Manille, le processus est analogue.

D'étape en étape, la masse humaine se coupe de son milieu naturel. Cela s'appelle pollution, érosion, désertification, épuisement des ressources renouvelables et non renouvelables. Cela s'appelle pluies acides, ou surpêche. La science sait nommer maintenant ces phénomènes. Elle les décrit, les analyse, les prévoit. D'où l'alerte écologique qui parle d'un système qui se déglingue comme si la pression de l'espèce humaine devenait trop forte pour la Terre. Est-elle donc si fragile la bonne vieille planète Terre? Y avait-il entre elle et nous une antique Alliance que nous aurions brisée en devenant maîtres du feu? Depuis nos lointains ancêtres du pléistocène qui brûlaient des forêts entières pour chasser et survivre jusqu'aux ingénieurs d'aujourd'hui qui contrôlent la puissance atomique, l'être humain enfreint-il un pacte de soumission? Faut-il alors se sentir coupables d'être humains? Coupables de lèse-terre, comme l'était autrefois le manant qu'on accusait de lèse-majesté? Faudrait-il revenir à l'âge des cavernes, à la simple cueillette, pas même à la chasse?

Ici, tous les fantasmes ont cours, toutes les utopies, toutes les mystiques. Un philosophe américain important (Callicott) dit que l'animal domestique est une aberration. Un éthicien américain soutient qu'on n'a pas le droit moral de prendre une fleur dans un bois pour la transplanter dans son jardin, même si elle devait y vivre plus «heureuse», entendez d'une vie plus confortable. Car on manquerait au principe de non-ingérence! Et je pense au renard du *Petit Prince* qui voulait qu'on l'apprivoise. Je pense à une certaine fleur qui devient un jour unique. Et je pense à une parole venue de la Bible: «tu as du prix à mes yeux».

C'est ici que nous avons besoin de la biologie comme science de la vie et surtout de l'écologie comme science des processus, comme interprétation des lois, encore mal comprises, qui président à l'articulation entre tous les vivants constituant un réseau de vie, une biosphère. Car la vie semble fonctionner comme un système. Paradoxalement, il est bénéfique aux cerfs, comme espèce, qu'il existe des meutes de loups. Âmes sensibles, s'abstenir... La biosphère

13

fonctionne comme un système qui va de la plante à l'herbivore, de l'herbivore au prédateur, du prédateur au charognard, du charognard au recycleur et au décomposeur. Un lion n'a pas à se poser de question éthique ou métaphysique sur le fait de capturer une gazelle. Il doit le faire vite et bien. S'il est trop vieux ou trop faible pour y parvenir, il mourra de faim, et rapidement.

En ce sens, la vie est implacable. Darwin en a parlé comme d'une lutte et d'une victoire. Nous comprenons mieux maintenant que cette victoire s'inscrit dans des solidarités plus larges, dans des échanges et des complémentarités, dans des colonisations et des successions végétales, dans des réseaux alimentaires et des niches écologiques. D'instinct, ou plutôt par tradition orale et savoir-faire patiemment appris et transmis, les anciens connaissaient ces rythmes et ces lois. Ma vieille tante Sarah, qui avait d'ailleurs un profil d'Amérindienne fruit d'un heureux métissage, se serait débrouillée en forêt. Moi, pas. J'ai perdu la mémoire des savoirs antiques, si longuement acquis pendant des millénaires. Savoir ou mourir. Se souvenir ou périr. Les Amérindiens nous étonnent du fait qu'ils savent encore le nom et le secret des plantes, dans un compagnonnage mystérieux.

C'est à la science maintenant, à la biologie et à l'écologie, que nous demandons de nous redonner les savoirs opportuns. Il nous faut réapprendre le b, a ba de la vie, depuis la goutte d'eau jusqu'au harfang des neiges. Comme nous ne vivons plus immergés dans la Nature, il nous faut comprendre d'une manière plus abstraite et plus systématique, avec parfois moins de poésie, les lieux et les rythmes de la vie.

L'amour des humains, l'amour de la Nature. Joindre le biologique et le social. Le social est biologique. Mais il est aussi culturel: il inscrit une rupture dans la biologie. C'est pourquoi, par exemple, la théorie de Darwin sur la sélection naturelle ne peut être transposée telle quelle dans le domaine social: elle deviendrait alors racisme et violence. La Nature donne peu de chance au faible: les humains au contraire soignent l'enfant malade et le vieillard défaillant. L'éthique ici vient relayer les mécanismes trop durs de la Nature. Parce que la force humaine devient menace pour certains mécanismes de la vie biologique, il nous faut maintenant appliquer à la Terre elle-même les règles d'une éthique nouvelle. Une éthique qui intègre beaucoup de science et, si possible, autant de sagesse. Difficile défi!

Je ne sais pas si ce livre ajoutera quelque chose aux milliers d'autres déjà écrits sur le sujet. Des livres plus scientifiques, plus étoffés, mieux informés que le présent travail, il en pleut. Ou des livres plus mobilisateurs, capables de secouer les consciences. Il est paradoxal d'oser détruire des arbres, consommer de l'énergie et s'inscrire dans le commerce pour éventuellement sauver des arbres, économiser de l'énergie, limiter le commerce. Faut-il parler pour faire l'éloge du silence? Le discours écologiste côtoie ainsi à chaque instant la catastrophe et risque d'engendrer sa propre contradiction. C'est pourquoi, je pense qu'il faut s'y aventurer avec crainte et tremblement. S'il faut détruire des arbres pour sauver des arbres, on ne peut le faire par un discours triomphant. La dénonciation prophétique ne peut être vraie que si elle s'inscrit dans l'amour. C'est l'intention de l'auteur de suivre un itinéraire allant du jardin à la connaissance des mécanismes de l'écosystème, à l'éthique de la Terre, à l'éthique sociale, à la spiritualité. Ni dénonciation écologiste, ni manifeste antitechnique, mais forte solidarité sociale et biologique. Pari possible peut-être. En tout cas, pari amoureux!

J'ai voulu écrire un livre qui ne soit ni didactique ni savant. J'ai préféré une approche impressionniste et auto-implicative faisant largement appel à l'affectivité des lecteurs, établissant des ponts entre des besoins spirituels et les nécessités de la vie courante. Un livre plus proche de la sagesse que de la science, en quelque sorte. Les écrits techniques surabondent. Les écrits utopiques aussi, qui, à force de dénoncer l'Occident et son héritage, nous envoient dans un ailleurs imaginaire. S'il y a un défi écologique, il consiste à ouvrir sa porte pour sortir de chez soi, à marcher dans l'air du matin, à prendre plaisir au chant d'un oiseau qui chante, au moindre brin d'herbe qui vacille sous le vent. Il consiste à se savoir immergé dans ce monde, à s'en sentir solidaire pour pouvoir ensuite comprendre et accepter les contraintes et les limites de certaines formes de consommation, de certaines formes de confort, de certaines formes de production, de certaine formes de solidarité. Si je mange des clémentines du Maroc, si je bois du café du Brésil, il me faut accepter d'en payer le juste prix, un juste prix qui ne se distribue pas seulement aux intermédiaires, financiers et commerçants, mais qui atteigne principalement le paysan sur son lopin de terre. Car seul le juste prix au paysan permettra à ce dernier de ne pas dévaster son coin de terre planétairement si précieux.

En ce sens, tout choix écologique est un choix social et un choix politique. C'est également une aventure spiri-tuelle.

1

LE JARDIN ENTREVU

S'il est un charmant gazon
que le ciel arrose
Où brille en toute saison
quelque fleur éclose
Où l'on cueille à pleine main
Lys, chèvrefeuille et jasmin
J'en veux faire le chemin
Où ton pied se pose

Victor Hugo

*I*l existe dans le langage humain un mot qui semble résumer nos rêves écologiques: c'est le mot jardin. Ni nature pure, ni technique pure, le jardin ressemble à une symbiose entre l'être humain et la Nature, une réconciliation, des épousailles. S'il contient une large part de travail, son résultat se situerait davantage du côté de la gratuité, de la grâce.

Ainsi le jardin se distingue d'abord nettement de la nature sauvage, mystérieuse, insaisissable, souvent hostile et menaçante, où les humains ne s'avancent qu'à leurs risques et périls. La nature sauvage fait penser au chaos, dans ses entrelacs de forces et de pulsions violentes et obscures, échappant à nos savoirs et à notre contrôle, où nous risquons, chaque fois, de nous perdre. On ne s'aventure pas à la légère dans une forêt inconnue et, lorsque la nuit tombe, nous cherchons quelque part un gîte pour nous mettre à l'écart. Il ne s'agit pas simplement de se protéger du froid, ni d'éloigner prosaïquement les moustiques insupportables en mai ou en juin. Il n'est pas non plus juste question d'éloigner l'ennemi: mouffette, loup, carcajou, ours. Il s'agit plus profondément d'échapper à l'étrangeté, de se ressaisir, de se trouver un lieu à soi, de se mettre à l'écart, de dessiner en quelque sorte un espace humain qui soit à notre ressemblance. Dans diverses traditions amérindiennes, des rites obligent l'adolescent au seuil du passage à l'âge adulte d'affronter la nature dans la solitude. Braver sa peur, défier la solitude, quitter l'état d'enfance protégée par les parents pour entrer dans un corps à corps avec la Nature. L'insertion dans la Nature ne se fait pas sans dialectique et suppose d'abord une mise à distance.

Le jardin n'est pas la nature sauvage. Il est un lieu reconstruit, aménagé. Il est une recomposition du monde. Selon les cultures, les religions, les données du territoire, on oriente le jardin sur les points cardinaux, comme les musulmans ensevelissent leurs morts orientés vers La Mecque. Le jardin s'inscrit dans l'ordre cosmique du monde. Il en imite la diversité et le mystère. Jardins symétriques *à la française*, faits de parterres, de terrasses, de bassins, avec leurs allées si nettes qu'on a toujours l'impression à chaque pas d'un effet de miroir. Jardins *à l'anglaise*, verts, ombragés, avec leurs massifs d'arbres qui se détachent de la pelouse donnant l'impression d'imiter la nature en la recomposant. Jardins *japonais* finement ornés, où l'eau surgit toujours à l'improviste et nous oblige à passer le pont sous le sourire figé de quelque bouddha. En Afrique du Nord, ainsi qu'en témoignent les ruines de Carthage, ou dans la médina de Fez, ou dans les résidences bourgeoises, il y a le jardin *intérieur*, comme enfermé dans la maison, où l'on trouve un ou des arbres, des épices, quelques plantes potagères et un point d'eau, grand bassin où l'on conserve les eaux pluviales.

Le jardin est la permanence de la Nature dans le quotidien de nos vies. Il est aussi le témoignage du travail, de l'inventivité humaine, de l'astuce de l'esprit contre le déterminisme du milieu. Dans un quartier de Montréal, un militant original invite les gens à adopter les arbres du quartier plantés par la ville. Il n'y a pas, dit-il, d'objection juridique à l'adoption d'un arbre. Ce faisant, un citoyen, une citoyenne assume une responsabilité à l'égard d'un arbre particulier. Il le surveillera, l'arrosera, le protégera, plantera des fleurs à son pied, nettoiera son environnement immédiat. Il alertera les autres à cette vie fragile et immobile. Une vieille dame, un peu misanthrope, ayant adopté un arbre aurait recommencé à parler à ses voisins par leur faire admirer son arbre. Elle aurait sensibilisé un garagiste à sa manière de disposer de ses déchets. Adopter un arbre, ou plus largement tenir un jardin, c'est devenir responsable d'un milieu.

Ainsi le jardin peut devenir le symbole de notre réconciliation avec la Nature. S'il existe encore ici et là des peuples de cueilleurs et de chasseurs, la révolution agricole a signifié un changement total de stratégie. Déjà, cueillir suppose des connaissances: quels sont les fruits, les baies, les racines, les feuilles et les plantes bénéfiques? Où poussent-ils? À quel moment de l'année? Peut-on les conserver et les mettre en réserve? Faut-il les cuire, les briser, en faire de la farine? Il convient de parler de savoirs longs transmis sur des millénaires. La chasse et la pêche posent les mêmes questions et exigent des savoirs analogues. D'où l'autorité et le prestige du chasseur habile.

La révolution qui inaugure l'élevage et l'agriculture nous fait passer de la cueillette à l'aménagement. Le nomadisme fait place au sédentarisme. Il faut choisir les espèces et les variétés, s'insérer dans la nature en rusant avec elle, définir dans la nature un territoire explicitement humain. Si le pâturage peut encore s'associer avec le nomadisme quand il s'agit de suivre le troupeau dans sa migration, l'agriculture fait naître le village, puis la ville.

C'est à la confluence du domicile qu'émerge le jardin. Ni lieu sauvage, ni à proprement parler champs ou terres, espaces de vastes travaux, le jardin tient de l'un et de l'autre. On parle d'un espace proche, domestique, dans le domaine du privé ou de l'intime (bien sûr, la puissance politique créera des jardins publics), mais aussi d'un espace qui, quoique utile, échappe aux exigences strictement productives de la grande culture. Aménagé, organisé, surveillé, travaillé, le jardin ressortit plutôt au domaine de l'art, de la gratuité. Il est vénération de la nature dans l'espace urbanisé, permanence du végétal au sein de la technique. Le jardin demeure en général petit. Il a pour but d'être beau, de représenter le monde imaginaire, idéal. Il alliera l'utile à l'agréable, le potager et le bosquet, l'ombre et la lumière, le banc intime pour causer ou lire, une cabane d'oiseaux et ce léger mouvement de l'air qui porte des effluves. Le jardin est un message qu'on se dit à soi-même, parfois aux autres, quand il nous reste un peu de temps et d'énergie pour le superflu. Le citadin d'aujourd'hui tond son gazon à l'aide d'une tondeuse mécanique consommant du pétrole pour aller vite jouer au golf ou faire son jogging. Mieux vaudrait cultiver son jardin en apprenant patiemment la fécondité de la terre.

Dans le champ des activités humaines, le jardin témoigne d'une victoire et d'une réconciliation. Victoire sur la sauvagerie et l'inhospitalité, mais collaboration avec la nature dans ses subtilités. Dépassant le labeur, le jardin ouvre sur la gratuité.

Dans la grande tradition biblique, le jardin est donc l'image par excellence du paradis. Il y a, dans la Genèse, deux récits de création. Le premier récit que nous connaissons bien raconte l'œuvre de création en sept jours. Il correspond à une mise en ordre du chaos de l'univers permettant d'entrevoir la création comme un don et une initiative de Dieu, et comme une responsabilité humaine. Le second récit, pour sa part, évoque d'abord un monde sec et inerte. «Au temps où Yahvé Dieu fit la terre et le ciel, il n'y avait encore aucun arbuste des champs sur la terre et aucune herbe des champs n'avait encore poussé, car Yahvé Dieu n'avait pas fait pleuvoir sur la terre et il n'y avait pas d'homme pour cultiver le sol» (*Genèse* 2,4b-5). L'absence de pluie fait penser au désert. Rien ne pousse, car il n'y a pas encore d'être humain pour cultiver le sol! Quelle belle naïveté qui confond la cause et la conséquence. Alors Dieu modela, avec la glaise du sol, un homme au nom collectif qu'on appelle Adam, terme que l'on pourrait rendre en français par: un terrien, ou un glaiseux (de glaise), un humier (de humus). Alors, «Yahvé Dieu planta un jardin en Éden, à l'Orient, et il y mit l'homme qu'il avait modelé» (v. 8). «Yahvé Dieu prit l'homme et l'établit dans le jardin d'Éden pour le cultiver et le garder» (v. 15).

Nous connaissons la suite bien sûr: l'arbre du bonheur et du malheur, la séduction, la faute, l'hostilité entre la nature et l'être humain et l'expulsion du jardin désormais interdit. «Et Yahvé Dieu le renvoya du jardin d'Éden pour cultiver le sol d'où il avait été tiré. Il bannit l'homme et il posta devant le jardin d'Éden les chérubins et la flamme du glaive fulgurant pour garder le chemin de l'arbre de la vie» (*Genèse* 3,24).

Il s'agit d'un texte tragique qui correspond à un effort d'explication de la présence du mal dans le monde. D'où vient le mal? Est-il dans la création elle-même, dans le fait d'exister? Est-il dans la matérialité, dans la corporéité comme le suggèrent les mythes platoniciens qui voient la déchéance quand l'esprit prend corps? La réponse du rédacteur de la Genèse est fort complexe puisqu'elle situe

25

le mal dans la liberté pécheresse qui disloque les relations harmonieuses avec Dieu, dans le couple et avec le cosmos.

La théologie a fait du récit du jardin d'Éden un enseignement sur le péché et la malédiction, en nous proposant de le voir comme un récit quasi historique. Maldonne profonde. Il faut, au contraire, le comprendre comme un récit mythique, situé hors du temps. Le bonheur est dans l'harmonie des relations (à Dieu, à l'autre, au cosmos): et le lieu de cette expérience est le jardin. C'est au jardin que nous entrons dans la gratuité, que nous dépassons notre relation difficile et opiniâtre avec la Terre. C'est au jardin que le monde se reconstruit dans la pluralité et les infinités de ses harmoniques. C'est au jardin que Dieu lui-même se livre.

Dans les *Confessions* de saint Augustin, il est intéressant de noter que les moments clés de la conversion d'Augustin se situent dans un jardin (cf. Tavard 1988). Le premier récit se passe à Milan. «Notre logis avait un petit jardin dont nous gardions la jouissance, comme du reste de la maison, car le propriétaire, notre hôte, n'y habitait pas. C'est là que m'avait jeté la tempête de mon cœur» (*Confessions*, p. 178). Au jardin, Augustin cherche la route de son cœur et entend une voix d'enfant qui chante: «Prends, lis». C'est à la porte d'un autre jardin, à Ostie, qu'Augustin converse une dernière fois avec sa mère Monique du sens de la vie. Elle mourut neuf jours plus tard à l'âge de cinquante-six ans (*Confessions*, p. 210). S'agit-il d'un récit authentique ou d'artifice littéraire? Peu importe. Le sens est obvie: le jardin est un lieu de contact avec Dieu, où Dieu vient à notre rencontre: «ils entendirent le pas de Yahvé Dieu qui se promenait dans le jardin à la brise du jour» (*Genèse* 3,8).

Nature civilisée et reconstruite à la marge du domicile, œuvre de gratuité et de création, le jardin ouvre une brèche dans un autre monde. Il humanise la ville, réconcilie les êtres humains avec le lent labeur de la terre. Il ouvre sur un au-delà du quotidien qu'on peut à la fois nommer forces telluriques du monde ou proprement le divin.

En ce sens, faire de la Terre un jardin c'est plus qu'un jeu ou un plaisir. C'est, à proprement parler, notre avenir, notre réconciliation au-delà des ruptures. C'est moins notre passé que notre eschatologie. La crise écologique, nous le verrons, dénonce un certain réflexe de l'*homo-technicus* qui ne considère la nature que comme une réserve de biens exploitables à l'infini. Le jardin évoque, au contraire, un accomplissement dans la gratuité, quand l'art et le jeu peuvent atténuer et dépasser la fébrilité humaine, la faim et la soif, le goût exclusif de posséder et d'user.

C'est dans cette perspective de l'extase et de la gratuité que le jardin est le symbole de la femme, avec ses fleurs, ses arômes, sa source, sa clôture:

> Elle est un jardin bien clos
> ma sœur, ô fiancée;
> un jardin bien clos,
> une source scellée.
> Tes jets font un verger de grenadiers,
> avec les fruits les plus exquis:
> le nard et le safran,
> le roseau odorant et le cinnamome,
> avec tous les arbres à encens:
> la myrrhe et l'aloès
> avec les plus fins arômes.

Sources des jardins,
puits d'eaux vives
ruissellement du Liban.

(*Cantique des Cantiques* 4, 12-16)

Nous sommes en présence d'un érotisme très explicite mais de très haut niveau, où le corps de la femme devient jardin, véritable paradis pour son bien-aimé. C'est une idée tout à fait traditionnelle: «J'ai cueilli la belle rose, la belle rose du rosier blanc». Sans annuler les significations traditionnelles et bien connues de l'amour humain et de l'expérience mystique, il serait intéressant d'entrevoir ce cantique comme une fable écologique, où le jardin de la femme annonce et préfigure les noces à venir des humains avec le milieu écologique.

Le défi fondamental de la pensée écologiste est d'arriver à articuler d'une manière cohérente une conception de la place de l'être humain dans l'univers. La pensée de l'ère industrielle, durcissant certains aspects de la tradition, faisait de l'être humain le maître et la mesure de toutes choses. Par un effet de balancier, nous risquons de vouloir maintenant assujettir l'être humain aux contraintes strictes de la nature. Entre ces deux figures, la symbolique du jardin ouvre une brèche qui annonce une réconciliation capable d'assumer la tension nature- culture en la dépassant dans le sens du jeu et de la grâce. Si ce symbole est à la fois féminin et divin, faut-il s'en étonner, voire s'en plaindre?

Georges Moustaki a une jolie chanson qui dit: «il était un jardin qu'on appelait la Terre». Ce faisant, il répète le mythe du paradis perdu. Le jardin harmonieux c'était celui de l'ancêtre, avant la crise, avant la déchéance. Il ne resterait plus que mort, déchéance, pollution, désespérance. C'est la chanson commune de la complainte de la terre perdue. Peut-être avons nous été chassés à tout jamais du lieu d'origine. Fallait-il donc inventer le feu? Pour ma part, j'aimerais entrevoir le jardin de demain, pas encore Éden certes ni paradis, mais déjà un jardin recomposant l'espace et le temps et inscrivant dans la cité l'espoir des odeurs et des arômes, l'harmonie des teintes et des espaces. Plus que jamais, nous avons besoin de jardiniers!

Malgré sa richesse, le thème du jardin reste fragile, car, à première vue, il intègre mal la dimension sociale. Dans le jardin d'Éden, on parle d'Adam indistinctement, de l'humanité en général. Mais, dans le concret, qui donc possède un jardin? Bien peu de gens en vérité, sauf ceux et celles qui possèdent un terrain. Alors le jardin est inexorablement privé, avec un mur ou une clôture pour le protéger, des gardiens, un chien, ou une lumière qui s'allume quand quelqu'un approche. Nous proclamons que la Terre appartient à tout le monde mais, sauf pour les Amérindiens qui ont une conception communautaire de la terre, cela n'est pas vrai. Quand on est propriétaire, on possède un coin de terre, cadastré, mesuré, arpenté, acheté devant notaire avec des titres en règle. On y fait ce qu'on veut à l'abri d'autrui. N'est-ce pas le drame de notre temps que tant de gens n'aient ni feu, ni lieu, pas même l'espace ultime du cimetière pour leur dépouille? Avoir un jardin à soi, c'est déjà un luxe. Mais si le jardin est ouvert à tous, il se détériore vite, se fragilise, se brise. Dans tout village, il y a des gamins voleurs de pommes et de cerises. J'ai tant grimpé par dessus des clôtures pour aller récupérer les balles de mes jeux!

Entre le jardin privé et l'espace public, s'instaurent une distance et un conflit. Le jardin inéquitable sera spolié, cueilli, squattérisé. D'où la nécessité de jardins publics, plus fragiles encore à l'action irresponsable. Enverrons-nous la police ou l'armée contre des pauvres qui installent leurs tentes sur un coin de parc? Entre le privé et le public, nos villes ont inventé les jardins communautaires qui, à vrai dire, ne sont pas des jardins mais de simples «planches de jardinage», des sillons de culture. Et pourtant dans cet espace si fragile et confiné, le miracle se produit. Voici Suzanne qui aime les concombres, et Paul les tomates, et Stéphane les haricots. Ils sont deux cents dans un même espace à respecter scrupuleusement le territoire d'autrui, chacun, chacune faisant surgir les plantes de son choix et montrant avec fierté les succès de la saison. C'est miracle qu'il y règne la paix. Il y règne aussi la joie et la confiance, malgré les incidents que l'on devine.

Il existe des jardins insolents. Paradoxalement, plus le pays est pauvre, plus il semble que les riches y vivent somptuairement et peu inquiets des rumeurs à leur porte. L'égalité n'est pas pour demain. «Au jardin de mon père, les lauriers sont fleuris, le rossignol y chante et le jour et la nuit». Heureuses ces belles qui chantent la sérénade dans la sécurité du jardin paternel.

Qu'arrive-t-il aux autres qui n'ont ni père ni jardin? Aux aventuriers, il y a toujours l'*Appalachian Trail*, aux États-Unis; ici même, le réseau des parcs et des itinéraires. Aux autres, de préférence aux plus pauvres, il reste une réalité unique hors de prix, hors marché, inaccessible au riche: le rêve. Il suffit d'un oiseau, d'un arbre, d'un brin d'herbe, d'un quignon de pain, d'un verre de lait, d'un verre de bière, et le rêve recommence. Les pauvres aussi ont soif de beauté.

Il faut souhaiter qu'il existe un jardin au temps futur. Le temps des réconciliations vient. Nous avons un espace à jardiner, un simple jardin d'abondance où le pauvre puisse pousser la porte. Entrez donc, je vous attendais depuis toujours.

Il sera un jardin qu'on nommera la Terre.

2

QUEL EST LE PROBLÈME?

Qu'avons-nous fait de toi,
qu'avons-nous fait de toi
Planète bleue, unique et belle
dans les cieux?
Qu'avons-nous fait de toi,
Qu'avons-nous fait de toi
Planète bleue, unique et belle,
aimée de Dieu…

Robert Lebel

On attribue à Galilée cette phrase célèbre à propos de la terre: «Et pourtant, elle tourne (*E pur si muove*)». Renouant avec quelques penseurs antérieurs, Galilée affirmait, contre l'opinion courante, que la Terre tournait autour du Soleil. Il le faisait avec sarcasme et ironie. Ce qui lui attira des ennemis. Et au cours d'un procès où, pour sauver sa vie, il abdiqua ses convictions-observations, il lui échappa cette protestation: et pourtant, elle tourne.

C'est bien cela qui se produit à propos de la crise écologique. Dans mon petit village, ils sont des dizaines à vouloir couper les arbres, dévier le cours des ruisseaux, tracer des routes, construire des maisons pour enfin amener le «progrès»: des maisons, du trafic, des jobs, des taxes. Moi, j'hésite. J'aimerais prévoir davantage, protéger des ressources fragiles, en particulier une immense nappe aquifère d'une qualité rare. Il me semble qu'un autre type de développement est possible. Si le discours écologiste occupe une place importante dans l'opinion publique, il ne fait pas encore le poids quand on arrive dans le concret, sur le terrain des vaches, quand on parle d'espèces sonnantes et trébuchantes. D'où le sentiment de lassitude qui assaille l'observateur: «Et pourtant, elle tourne». Et pourtant, la crise écologique est là, à nos portes. Il n'est pas nécessaire de faire de pathos, de pleurer sur la planète fragile et menacée. Mais il faut simplement arriver à voir: et pour voir, il est parfois nécessaire que tombent les écailles qui bloquent le regard.

L'héritage de la pensée «moderne»

Pour évoquer l'incertitude actuelle, les livres savants parlent de nouveau paradigme. Depuis plus de deux siècles, nous vivons dans le paradigme de la science et de la technique. L'ébranlement intellectuel venait de plus loin, de la Renaissance, au moment où la vision du monde en place et l'autorité d'un certain savoir ont basculé. Les intellectuels ont redécouvert la culture de l'Antiquité. Luther a secoué l'autorité de la tradition au nom de la conscience individuelle: le libre examen. Galilée a mis en doute la représentation du cosmos: c'est la Terre qui tourne autour du Soleil et non le contraire. Contre l'opinion qui fixait l'âge de la création à quelques milliers d'années, en référence à la création en sept jours «depuis plus de quatre mille ans» comme on le chante dans le cantique, on a soupçonné un temps plus long pour l'humanité et des âges géologiques d'un autre ordre de grandeur.

Au fond, les anciennes références se sont toutes écroulées. Dieu menait le monde selon une loi éternelle interprétée par l'Église. La Terre était au centre du cosmos. L'être humain était au sommet de la Terre. Cet univers a basculé. La Terre n'est plus au centre de l'univers. L'autorité est contestée et la volonté de Dieu devient moins claire. Le doute s'empare des esprits et les philosophes cherchent un nouveau point d'appui. Descartes propose son fameux cogito. «Je pris garde que pendant que je voulais ainsi penser que tout était faux, il fallait nécessairement que moi, qui le pensais, fusse quelque chose: et remarquant que cette vérité, je pense, donc je suis était si ferme et si assurée que toutes les plus extravagantes suppositions des sceptiques n'étaient pas capables de l'ébranler, je jugeai que je pouvais la recevoir sans scrupule pour le premier principe de la philosophie que je cherchais» (Descartes: 128).

Le renversement est paradoxal. La Terre n'est plus au centre du monde. Dieu et la loi éternelle sont en recul. Mais c'est l'être humain qui devient la mesure de toutes choses et qui se percevra, par la force de sa raison et la rigueur de la mathématique, comme l'ingénieur du monde. «Au lieu de cette philosophie spéculative qu'on enseigne dans les écoles, on en peut trouver une pratique par laquelle, connaissant la force et les actions du feu, de l'eau, de l'air, des astres, des cieux et de tous les autres corps qui nous environnent, aussi distinctement que nous connaissons les divers métiers de nos artisans, nous les pourrions employer en même façon à tous les usages auxquels ils sont propres, et ainsi nous rendre comme maîtres et possesseurs de la nature» (Descartes: 163).

Descartes fait partie des têtes de turcs, avec Francis Bacon et quelques autres, de la dénonciation écologiste, à cause de ce fameux «maîtres et possesseurs de la nature» qui traduit la prétention humaine de mettre la main sur le monde, de traiter la nature comme une chose et une réserve de biens inépuisable. L'horizon mental de la pensée moderne - son paradigme - c'est cette confiance absolue en la raison qui peut tout connaître et décrypter, jusqu'au moindre détail, le mystère du monde, puis ensuite le reconstruire selon son désir. C'est l'âge du savoir déterministe. Le monde est une immense mécanique. En comprendre les données, c'est éclairer l'origine et la fin. Il n'y a littéralement plus de limites: la science peut, ou pourra bientôt, tout expliquer. La technique peut, ou pourra bientôt, tout faire. C'est une promesse sans fin de richesse, de confort, de progrès, de bonheur. Comme dit la chanson: «C'est le début d'un temps nouveau, la Terre est à l'année zéro (...), le bonheur est la seule vertu».

La preuve de la vérité de cette vision des choses réside précisément dans son efficacité. Le XIXe siècle a été le siècle des ingénieurs et des savants. Le vingtième a complété la métamorphose de l'existence personnelle et collective de l'humanité. Le moteur à vapeur, puis à explosion. L'électricité. L'auto, l'avion. Le téléphone, la radio, la télévision. La machine à calculer, l'ordinateur. Le voyage interplanétaire. La puissance atomique. L'explosion incroyable de la puissance industrielle. Dans le rapport Brundtland, on affirmait en 1987: «depuis un siècle, la production industrielle a été multipliée par 50, et les 4/5 de cette progression sont intervenus après 1950» (Bruntland 1988: 5). Il suffit de voir dans nos demeures l'irruption de la technique à notre service: le robot culinaire, le four micro-ondes, le disque laser, l'ordinateur, la télévision par câble. Le réfrigérateur fait figure d'antiquité, comme la cuisinière électrique, l'aspirateur, ou même simplement l'éclairage électrique. Au centre commercial, nous payons avec de l'argent électronique en composant notre numéro d'identification personnel. Au téléphone, un traitement de la voix nous invite à faire 1, ou 4, puis à enregistrer notre message. La chirurgie cardiaque est devenue monnaie courante tandis que les greffes de cœur, de reins, de poumons n'étonnent plus guère. À peine s'interroge-t-on sur les banques de sperme (il y a une banque de sperme de prix Nobel!), la fécondation *in vitro*, les mères porteuses. Comme les expériences sur les animaux préfigurent ce que l'on fera chez les humains dix ans plus tard, il faut aller voir à une école vétérinaire pour savoir ce que votre médecin vous offrira sous peu.

Ainsi la modernité est d'abord une manière de penser et de sentir qui s'accompagne d'une façon d'envisager le monde et la nature. Puis la modernité devient aussi mille manières de faire et de produire. C'est cette vision que met en cause le mouvement écologique. À la base de la contestation, il y a des constats. Derrière les constats, il y a des disciplines scientifiques surtout la biologie et l'écologie. Au-delà des disciplines, il y a des visions du monde: philosophiques, éthiques, mystiques. Nous ne sommes pas devant un discours simple et unifié, mais plutôt devant une constellation de façons de sentir et de voir. C'est pourquoi l'on parle de paradigme. Les adeptes d'astrologie évoquent «l'ère du Verseau». Certaines sectes nous annoncent encore une fois la fin du monde. D'autres amorcent le voyage astral. Tout est remis en question. Voyons donc, très rapidement, l'état de la demeure.

L'ère de l'écologie

À l'ère moderne caractérisée par la science, la raison, la pensée linéaire, l'efficacité, succède l'ère de l'écologie qui veut lier à nouveau science et sagesse, raison et sentiment, pensée scientifique et approche holiste, respect et conservation. Établissons les faits, les savoirs et les visions.

... les faits

Les faits sont accablants. Ils s'appellent pollutions, épuisement des ressources, disparition d'espèces, ébranlement des systèmes de régulation, risques technologiques majeurs, etc. Les responsables du monde moderne n'ont pas bien entrevu les risques pervers d'un certain développement. Par exemple, la pollution. Nous utilisons beaucoup de produits chimiques, dans la grande entreprise comme dans la vie domestique. Certains de ces produits sont puissants et persistants. S'ils se retrouvent dans la nature, ils polluent l'air, l'eau, le sol et peuvent donc affecter les plantes, les animaux et les humains. De la maladie de Minamata, à *Love Canal*, à la «miuf» ou formal-déhyde, nous connaissons une série d'histoires d'horreur. Chacun a les siennes. J'ai des souvenirs d'enfants, les uns nés sans bras à cause de la thalidomide qui était pourtant un simple médicament, d'autres souffrant d'encéphalite à cause de la peinture au plomb. La leçon de la pollution est simple et terrible: on ne joue pas impunément avec la chimie. Il y a souvent des effets pervers vingt, trente, qua-rante ans plus tard.

L'épuisement des ressources dépend de deux choses: une consommation accrue et une population mondiale plus nombreuse. Nous consommons individuellement dix à vingt fois plus que nos ancêtres de la fin du siècle précé-dent. Plus de linge, plus de voyages, plus d'énergie, plus d'espace, plus d'appareils domestiques, plus de livres et de revues, plus de loisirs, plus d'emballages. Les Canadiens passent pour les plus grands consommateurs d'énergie et d'eau du monde. La durée de vie des biens s'abrège. Pour chasser la déprime, on change d'ameublement. Consom-mer est un mode de vie. C'est l'ère de l'opulence. On dit en anglais: *affluent society*. Mais cette consommation osten-tatoire qui définit notre style de vie tend à se répandre. Et c'est là que se révèle la bombe P ou D: population ou démographie. On parle de six milliards d'humains pour l'an 2 000, comparativement à 2,5 milliards en 1950. Ici, nous n'en avons pas conscience car la natalité a chuté de manière draconienne et nous faisons davantage l'expéri-ence du vieillissement de la population. Mais pour la planète, c'est un phénomène saisissant. La mortalité a baissé beaucoup plus vite que la fécondité. S'il n'y a pas un ajustement rapide de la fécondité (avec tous les problèmes culturels et éthiques que cela pose) nous irons vers des scénarios de catastrophe: pénuries diverses, famines, épidémies, guerres. Le plus grave dans tout cela, c'est que le mode de vie à l'occidentale se diffuse rapidement: par les films, la télévision, la chanson, les voyages, etc. On estime, par exemple, le parc mondial d'autos à 400 millions. Peut-on imaginer un parc de 3 milliards de voitures? Pourquoi une famille chinoise ou sri lankaise n'aurait-elle pas droit à un réfrigérateur au même titre que nous? Et à l'air climatisé? Et au téléphone cellulaire? Qui peut fixer pour les autres les limites du niveau de vie décent?

Au terme, nous aboutissons à l'absurde, car il ne peut y avoir de développement indéfini dans un monde fini. Une population en expansion qui consomme de plus en plus en arrivera à un point de rupture. Ou bien elle épuisera entièrement la ressource, et ce sera la fin. C'est peu probable. Ou bien, il se produira, en certains lieux, des chutes importantes de population pour cause de famine, de maladie, de conflit. Dans la nature, les cycles de pénurie de nourriture et de chute de population sont des processus courants sans que, pour autant, les espèces disparaissent.

Il est certain que cette vision pessimiste du développement est une reprise de la thèse de Malthus. Sauf qu'il s'agit d'une thèse mieux documentée que l'on l'évoque sur du moyen ou du long terme, un siècle, un siècle et demi. Quand l'humanité manquera-t-elle de pétrole? Avant que cela n'arrive, le prix du pétrole augmentera, le rendement des voitures s'améliorera, les gens voyageront moins, on trouvera des carburants de remplacement. Il ne faut donc pas parler de fatalité, ni dramatiser à outrance, ni trop culpabiliser chaque individu. Il s'agit de problèmes politiques à prendre en main à moyen terme. Mais nous savons déjà que notre mode de vie ne peut pas être le lot de six milliards d'êtres humains. Il faudra moins de monde ou vivre différemment.

L'expansion rapide de l'humanité conduit aussi à une occupation accélérée de tout l'espace disponible. Cette ouverture en force amène la modification de milieux et d'habitats possiblement fragiles, aux équilibres complexes et mal connus. Résultat: disparition de très nombreuses espèces végétales et animales et, possiblement, régression irréparable de milieux actuellement très riches. L'exemple qui vient à l'esprit est celui des grandes forêts humides, surtout la forêt amazonienne, véritable trésor de la vie sous toutes ses formes. Or, dans la nature, chaque espèce est précieuse. Plus encore, toute espèce qui disparaît ne peut revenir. Du point de vue de la vie dans son ensemble, chaque espèce représente un témoignage que la vie se rend à elle-même de sorte que la disparition d'une espèce constituerait l'appauvrissement d'un patrimoine commun. Par contre, la disparition d'espèces est un phénomène naturel et constant, ainsi que l'apparition de nouvelles espèces. Nous assistons actuellement à une disparition excessivement rapide d'espèces, attribuable aux pressions exagérées des humains sur l'écosystème. Le rythme de la nature est infiniment plus lent que celui des sociétés humaines.

Plus graves encore semblent les perturbations que l'espèce humaine risque d'apporter aux systèmes de régulation de la planète. Chacun connaît les trois phénomènes: pluies acides, effet de serre, amincissement de la couche d'ozone. Les pluies acides seraient le résultat de la présence de polluants d'azote et de soufre en haute atmosphère qui aurait pour résultat de changer le niveau d'acidité (pH) des pluies. Si la pluie devient acide, elle fait obstacle à la vie. L'effet de serre serait le résultat des polluants en haute atmosphère. La Terre est chauffée par le Soleil. Une partie de cette chaleur reçue retourne dans l'espace. La pollution agirait comme un écran qui empêcherait cette chaleur de s'évader. D'où un risque de réchauffement qui ferait fondre les calottes glaciaires, changerait le régime des pluies, modifierait le niveau des océans... J'avoue que, chez moi, en janvier, à moins trente ou moins trente-cinq, dans ma maison perdue dans la neige, je n'y crois pas toujours! Quant à la couche d'ozone, on parle d'un filtre à la lumière solaire dans les spectres de l'ultraviolet. Les coupables seraient les produits à base de chlore lequel décomposerait l'ozone et ferait donc disparaître ce filtre précieux. Le danger d'une exposition accrue à l'ultraviolet serait, entre autres, le cancer de la peau.

On parle de risques incertains, mal connus, à long terme. Le défi est le suivant: s'il sont réels et que nous attendons d'en avoir la preuve formelle avant d'agir, il sera alors trop tard. Nous n'aurions plus le temps de faire les corrections. Dans le cas de l'effet de serre et de la couche d'ozone, on pense en effet que les polluants prennent de 40 à 60 ans à atteindre la haute atmosphère. Nous mesurerions donc actuellement la situation des années 36 à 56. Un exemple ici peut éclairer: si dans la nuit, en auto, vous roulez si vite que la distance de freinage dépasse la distance éclairée par vos phares, vous êtes en situation fatale. S'il se présente un obstacle, même avec le meilleur réflexe, il est déjà trop tard. D'où les questions sans cesse posées: pouvons-nous prendre cette chance? Est-il déjà trop tard?

Également dramatiques et à moins long terme, on évoque les risques technologiques majeurs. C'est l'accident nucléaire comme à Tchernobyl, ou l'accident industriel comme à Bhopal, ou l'incendie de BPC de Saint-Basile, ou le déraillement à Mississauga. Chaque pays a ses drames, ses accidents nautiques ou aériens, ses explosions, ses incendies. Nous utilisons des technologies puissantes et très dangereuses. Un système à toute épreuve, ça n'existe pas. Il y a toujours de petites erreurs même minuscules de conception, des défaillances humaines (la fatigue, le vieillissement, la déprime, la folie), de l'usure technique, du mauvais temps imprévu, des procédures légèrement inadéquates. Le caillou n'a pas besoin d'être bien gros dans notre soulier pour que nous sentions la douleur! Ce qui est défaillant, un jour doit défaillir. Et l'accident arrive: le navire s'échoue, le train déraille, la navette brûle.

C'est ainsi que notre meilleur des mondes se présente à nos contemporains comme une menace à retardement. Nous attendions le bonheur. Nous avons plus banalement l'abondance (du moins nous, mais pas nécessairement les autres). Et en prime, nous récoltons la peur. Un doute surgit du fond de l'esprit: l'âge technologique avait-il bien considéré toute la réalité? Est-il si vrai que nous sommes comme «maîtres et possesseurs de la nature?» La science tend à répondre non.

... les savoirs

La vie est complexe, infiniment complexe. À l'optimisme d'une science, surtout mathématique, et d'une technique toute puissante, la biologie a apporté plus d'humilité. Jusqu'à maintenant, la vie semble bien plus complexe que nos savoirs. Mais cette affirmation est le résultat d'un savoir, d'une science devrais-je dire, la biologie, qui donnera naissance à l'écologie. La biologie se veut science du vivant. Biologie végétale, ou botanique, biologie animale ou zoologie. Étude du vivant sous toutes ses formes, analyse des conditions d'existence et des échanges entre chaque vivant et son milieu, la biologie fait plus que classer les vivants selon les familles et les espèces. Elle essaie de comprendre le passage de la non-vie à la vie et les conditions d'émergence et d'épanouissement de la vie.

Il fallait qu'un jour la biologie engendre l'écologie. L'écologie est la science de l'environnement. Tout vivant s'inscrit dans un réseau de relations avec le milieu dans lequel il vit, avec les ressources de ce milieu, avec les conditions physiques et climatiques, avec les autres vivants. Pourquoi la grive quitte-t-elle à l'automne pour revenir au printemps, alors que le pic-bois reste ici? La grive se nourrit d'insectes qu'elle ne peut trouver l'hiver. Elle va donc chercher sa nourriture au Sud. Mais le pic-bois peut parvenir à trouver dans les arbres les insectes dont il se nourrit. Pour les mêmes raisons, le tyran tritri s'en va vers le Sud, tandis que le gros-bec qui se nourrit de graines trouve ici de quoi manger en hiver. C'est une question de nourriture, plus que de froid. L'ours a trouvé la solution, il dort.

Patiemment l'écologie essaie de décrire les relations que les vivants tissent avec les autres vivants et leur milieu. Selon l'eau, le sol, l'air, selon le climat, des formes de vie sont favorisées, d'autres empêchées. Dans une fosse septique, sans air, des bactéries se développent. Si l'air arrive, c'est la mort. Mais les vivants que nous sommes, ont besoin d'air. Chaque vivant a son milieu idéal, son niveau: on parle de niche écologique. À la base de la vie: le végétal. Des animaux mangent des plantes. Et des animaux mangent d'autres animaux. On les appelle prédateurs. C'est ainsi que, dans un milieu, on parle de réseau alimentaire. Il s'agit de définir les échanges et les apports de chaque ressource, physique ou biologique. Les animaux qui respirent gardent l'oxygène et libèrent le carbone. Les plantes font l'inverse: elles fixent le carbone et libèrent l'oxygène. Ainsi plantes et animaux à respiration s'entraident mutuellement.

C'est de cette façon que l'écologie essaie de préciser les règles d'existence et les processus du vivant. On étudiera, par exemple, les règles de la succession végétale. Un espace ouvert favorisera les espèces dites pionnières, qui ont besoin de soleil: trembles, peupliers, sapins. Sous ces espèces, d'autres espèces, s'établiront qui tolèrent mieux l'ombre: le chêne, l'orme, l'érable. Un feu de forêt favorisera l'implantation du pin gris: la chaleur intense permet en effet l'explosion des cônes et contribue donc à sa régénération.

Ainsi, cette science qu'est l'écologie apprend à nommer les choses: on observe la compétition, l'association, le commensalisme, le parasitisme. Les oiseaux sont très conditionnés par les ressources et le territoire. La prédation est un phénomène courant et bénéfique, quoi qu'on pense. Le grand Aldo Leopold avait pensé détruire les loups pour protéger les chevreuils. Ce fut une grave erreur. Quand les loups furent chassés, les chevreuils connurent une explosion de population. Ils abusèrent des ressources et portèrent atteinte au milieu en sorte que leur population chuta en deça du niveau antérieur. On comprit alors que la présence des loups favorisait un troupeau plus nombreux et plus vigoureux dans ce qu'on appelle un optimum de population. Dans la nature, la pire situation est un monde sans prédateur. La crise écologique vient du fait que l'être humain a vaincu ses prédateurs et les résistances de la nature. Pour survivre, il lui faudra s'inventer une éthique, à moins de recourir à une solution bien connue: la guerre.

L'écologie est donc une science complexe, difficile, provisoire, toujours à refaire. Comment les animaux s'adaptent-ils aux mutations de la vie? Si on a craint pour les mouffettes et les ratons laveurs, nous savons maintenant qu'ils ont appris à vivre dans les villes. La chouette aussi y vit très bien. Même le faucon pèlerin commence à s'adapter et apprend à nicher dans les hauts édifices. Des animaux s'adaptent et survivent. Mais d'autres n'y parviennent pas. Le carouge prolifère d'une manière incroyable dans les immenses monocultures de grain. Le castor est de retour. La marmotte s'installe dans les canalisations d'autoroute. Le goéland, qui est un charognard analogue au rat, a envahi nos villes. Mais le béluga est une espèce menacée, comme le harfang des neiges et plus modestement l'ail des bois qui pousse dans les érablières.

La science de l'écologie essaie de décrire les relations tellement complexes des vivants entre eux dans un milieu donné. On parle de producteurs primaires et secondaires. Il y a les charognards et les décomposeurs. Les déchets des uns sont les ressources des autres. Règle générale, la nature recycle, mais il y a des ratés, comme l'illustrent les réserves de pétrole et de charbon, ou les bancs de corail qu'on appelle biohermes. On comprend de plus en plus que la nature fonctionne comme un système, ou mieux comme un système de systèmes, ou comme on dit comme un écosystème. Un lac est un petit écosystème; de même une clairière, une forêt. Chaque écosystème est fragile, tend vers un équilibre, mais un équilibre instable.

La vulgarisation écologique laisse sous-entendre l'extrême fragilité des choses et l'aspect statique de l'écosystème. On voudrait figer la nature dans un état stable de façon permanente. Or en réalité, c'est tout le contraire qui se passe. La vie a un énorme pouvoir d'adaptation: tout écosystème reconstruit sans cesse des équilibres fatalement provisoires. Il faut parler de systèmes ouverts et non fermés. Il y a certes des menaces gigantesques qui pèsent sur la vie à cause de la puissance d'intervention de l'espèce humaine, puissance qu'aucune autre espèce ne possède. L'âge de la technique fait intervenir un acteur nouveau capable de tout bouleverser l'ordre de la vie: l'homme industriel. Mais cela n'entrave pas pour autant la puissance de la vie. Prenons une cour d'école asphaltée. Aussitôt délaissée, on verra apparaître des fissures produites par le gel. Immédiatement, l'herbe s'implantera. Puis des arbres. En trente ans, on aura une forêt, ou presque. Rappelons la parabole de «l'homme qui plantait des arbres». Dans ses travaux, René Dubos évoque souvent cette extraordinaire capacité de reconquête de la nature.

Les processus de la vie sont si complexes qu'on pense même que la vie s'équilibre elle-même à travers un processus d'homéostasie. La vie générerait la vie et régulerait la vie. Ce système cybernétique autorégulé a reçu de son concepteur le nom de Gaïa. Nous passons alors de l'explication scientifique au mythe quasi religieux. On parle de la Terre comme d'un vivant tout entier qui régulerait ses propres fonctions, comme notre corps, à notre insu, conserve toujours une température identique. La Terre cesserait d'être simplement un milieu et un support et deviendrait un Vivant plus ou moins conscient de soi et capable d'éliminer les vivants humains qui menaceraient l'équilibre de l'ensemble. Nous entrons alors dans le champ de la philosophie et de la mystique.

L'écologie est une science provisoire et fragile, complexe et difficile. Un jeune chercheur m'a parlé d'une équipe de quinze personnes qui étudiaient, depuis cinq ans, un marais en Camargue afin d'y décrire les interrelations entre les vivants de ce milieu. Après cinq ans, ils n'avaient pas encore établi un modèle valide de ce seul marais. L'écologie a bien démontré des effets menaçants de l'action humaine sur la Terre et les risques que nous encourons. Elle n'annonce pas pour autant la fin de la Terre. À mon sens, la Terre n'est pas fragile ni même menacée. Mais l'espèce humaine, elle, dépend absolument du milieu biologique pour survivre. Elle a besoin d'air, d'eau, de sol, d'énergie, de nourriture. Si le système se détériore trop, ou trop vite, l'espèce humaine pourrait disparaître. La Terre n'est pas en danger. Nous, nous pourrions l'être.

Science de l'environnement, l'écologie est la science des systèmes, de l'immense écosystème terrestre et des écosystèmes plus limités. Ainsi quand on parle d'environnement, on évoque des réalités physiques: eau, air, sol; des réalités biologiques: flore et faune; des réalités humaines: communautés humaines, infrastructures matérielles, rapports de production, systèmes institutionnels. L'écologie essaie de décrire l'influence réciproque de chaque élément sur les autres. Qu'arrive-t-il dans une forêt si l'eau est plus rare ou plus abondante? S'il y a un feu, quelles seront les successions végétales et animales? Quelle est la contribution positive ou négative de l'être humain sur le milieu écologique? Car un village ou un ville sont, à leur manière, un écosystème. Ainsi l'écologie essaie de modéliser l'environnement, de proposer des représentations des interrelations entre toutes les composantes de l'environnement. Elle essaie de prédire l'évolution d'un milieu si tel ou tel événement se produit. Science hautement conjecturale, on le comprendra.

De plus, l'écologie essaie de formuler des règles générales qui sont le fruit d'une longue observation. On dira, par exemple, qu'un milieu diversifié est plus robuste, qu'il résiste mieux à des perturbations qu'un milieu peu diversifié. On cherchera à éviter d'introduire dans un écosystème des éléments d'un autre écosystème. On pense au moineau importé en Amérique, ou au lapin de Garenne introduit en Australie. L'écologie essaie d'identifier les fragilités de la nature mais aussi ses incroyables puissances d'adaptation. En foresterie et en agriculture, on cherche maintenant à combattre certains insectes par leurs ennemis naturels. On parle de lutte biologique. Qui sait que la fameuse pinède d'Oka est le fruit d'une plantation artificielle de pins dans le but de stabiliser les berges du lac des Deux-Montagnes? Il en avait été de même dans la région de Bordeaux. Et cette merveille qui s'appelle *Butchard's Garden* est le fruit de l'aménagement d'une ancienne carrière désaffectée. D'où un débat inachevé depuis trente ans sur la collaboration ou l'antagonisme entre l'être humain et la nature.

... les visions

La difficulté avec l'écologie, c'est qu'elle se présente comme une science de la globalité. L'écologie prétend analyser et pratiquement normaliser tous nos rapports avec le milieu écologique. Le glissement est donc très facile de l'écologie comme science vers la militance écologique. Le savant, le spécialiste en écologie qu'on devrait appeler un écologue, est vivement sollicité à devenir un sage, un moraliste, un militant. Le militant s'appelle un écologiste s'il désire une transformation radicale des conduites humaines à l'égard du milieu écologique, et il s'appelle environnementaliste s'il vise plutôt des réformes et des ajustements dans nos façons d'intervenir dans le milieu. Nous quittons alors le domaine de la science pour entrer dans le domaine de la politique, de la philosophie, de l'éthique, de la spiritualité.

Derrière le débat écologiste, ce qui est en cause c'est la vision des rapports entre l'être humain et le milieu écologique. Nous savons que l'ancienne vision qui considérait l'être humain comme la mesure de toute chose et voyait en la Nature une réalité inerte à la disposition des humains ne suffit plus. L'être humain demeure un être biologique, qui a besoin d'eau, d'air, de nourriture. S'il détruit sa base biologique, il risque de se détruire lui-même. La Nature est maintenant considérée comme un être vivant, comme une communauté de vie (on dit en anglais: web of life), un tissu de vie. Comment pouvons-nous et devons-nous désormais penser nos rapports à la Nature? La Nature n'est pas entièrement extérieure à nous. Elle est une part de nous-mêmes et nous baignons en elle comme dans notre milieu d'origine. D'où les symboliques maternelles nombreuses. Mais par ailleurs, nous modifions constamment la Nature pour vivre, pour manger et dormir, pour travailler, pour chanter et fêter. Au paradigme d'extériorité et d'exclusion issu de la Renaissance, se substitue un paradigme d'inclusion et de collaboration. Ce changement libère une énergie prodigieuse, une reprise de fond en comble de notre imaginaire, de notre regard sur nous-mêmes et sur le monde.

Il ne faut donc pas s'étonner que tout soit possible, le plus bizarre et le plus extrême. Il est donc très facile de ridiculiser certaines aberrations du discours écologiste. Mais ce serait mal comprendre son intention profonde. Cette intention, c'est de sauver l'humanité de sa propre folie, c'est de dépasser la sécheresse et les limites de l'idéologie scientiste pour parvenir à des réconciliations. Certains voudraient un retour en arrière, au temps d'avant la science et la technique. À mes yeux, cela serait une régression infantile. Il faut plutôt parler de bond en avant qui saurait conserver les acquis de la science et de la technique dans une intégration supérieure, dans une sagesse nouvelle.

En ce sens, le chantier écologique est une œuvre de longue haleine où se joue, pour une grande part, notre propre destin. Ce chantier commence à peine. Il nous faudra encore vingt-cinq ou cinquante ans pour en comprendre les principales composantes.

3

UNE ÉTHIQUE DE LA TERRE?

On doit le terme d'«éthique de la Terre» à Aldo Leopold, venant d'un texte célèbre dont le titre anglais est *The Land Ethic*. C'est un petit texte d'une trentaine de pages qui essaie d'élargir la conscience morale jusqu'au souci de la Terre. Aldo Leopold était un conservationniste, un gestionnaire de parc, un amoureux de la vie et de la marche dans les milieux sauvages. Son recueil le plus connu tient en un petit livre de poche: *Sand County Almanach*. Petit livre admirable d'une fraîcheur permanente. Je ne comprends pas qu'il n'existe pas de traduction française d'un document aussi important. L'écriture est à la fois technique, scientifique et poétique. Il faut voir, par exemple, comment Leopold reconstruit le passé d'une région par l'analyse d'une bûche de chêne. Car il faut comprendre que, tout amoureux qu'il ait été de la nature, Leopold coupait les arbres pour se chauffer et chassait pour se nourrir, mais également par plaisir. Il s'inquiétait pourtant de la rupture que la civilisation instaurait entre l'être humain et la nature.

Leopold a écrit son essai *The Land Ethic* vers la fin de sa vie. Il est mort en 1948 en combattant un feu de broussailles chez un voisin. *The Land Ethic* est presqu'un testament. On remarquera que le titre dit bien «The Land Ethic», et non «The Earth Ethic». C'est la terre au sens de la réalité globale de la planète. Ce n'est pas tout à fait la Terre dans son ensemble, mais c'est plus que la désignation technique et limitative de sol. Pour Leopold, «Earth» aurait probablement eu des prétentions trop larges. Il a préféré «Land», plus concret, plus modeste.

Leopold cite d'abord Homère: Ulysse à son retour fit pendre douze esclaves sans autre forme de procès. Il rappelle que, dans l'antiquité, l'esclave n'était qu'une chose et ne faisait pas partie de la communauté éthique. C'est un résumé un peu lapidaire sur la société grecque. Mais passons. Un jour, nous avons compris que l'esclave aussi méritait considération et s'inscrivait dans la même communauté éthique. Leopold poursuit sa parabole. Le temps est venu de considérer l'être humain et la Terre comme membres d'une même communauté. L'esclave ancien n'était qu'une chose, un objet. Depuis, nous avons compris. Maintenant, la Nature n'est qu'un objet. Il nous faut comprendre. Et Leopold d'esquisser quelques principes de l'éthique de la Terre:

> «La pièce maîtresse («key-log») qu'il faut déplacer pour permettre l'évolution de l'éthique est simplement la suivante: abandonner l'idée d'une gestion adéquate de la Terre comme un problème simplement économique. Examiner chaque question sous l'angle de l'éthique et de l'esthétique, aussi bien qu'à celui de l'avantage économique. Une chose est correcte quand elle tend à préserver l'intégrité, la stabilité et la beauté de la communauté biotique. Elle est mauvaise quand elle fait le contraire.»(Leopold 1970 (1949): 262)

Sous ses allures simples et modestes, *The Land Ethic* amorce une véritable révolution. D'une manière critique, il est facile de comprendre l'inclusion de l'esclave dans la communauté éthique. Quoique diminué socialement, l'esclave demeure un être humain, un semblable. Pour la terre qui est une réalité objective et extérieure, lourdement matérielle, qui ne parle, ni ne proteste, l'analogie est plus audacieuse. Dans sa réflexion, Leopold ne prend pas le chemin prévisible de la métaphysique pour définir un statut ontologique aux humains et à la nature. Il prend celui de la métaphore. Ne pourrions-nous pas, en toutes choses, prendre le point de vue de la terre, de la montagne, de la pierre, de la source? Si, au lieu de considérer notre bien, nous faisions preuve de compassion et prenions d'emblée la perspective de l'animal, ou de l'arbre, ou du sol, ne verrions-nous pas tout sous un autre angle?

Il faut convenir que, traditionnellement, l'environnement n'entre pas dans le domaine éthique. La tradition morale de l'Occident est celle du décalogue, de ce que nous appelons les «dix commandements». Ces dix commandements venus de la tradition hébraïque se partagent en deux tables, dites tables de la Loi. La première table définit nos rapports à Dieu (adorer, jurer, prier). La seconde table précise nos rapports au prochain (respect des parents, homicide, vol, mensonge, justice, conduite sexuelle). Rien ne concerne le monde naturel. Tout semble se passer entre Dieu et autrui. La nature n'est pas évoquée précisément parce que, au moment où le code émerge, la nature n'est pas un problème. L'être humain demeure encore si faible qu'on n'entrevoit guère qu'il puisse être une menace pour la nature. C'est l'éventualité de la crise écologique qui fait apparaître l'idée d'une éthique de la terre. Auparavant, une telle éthique n'était pas nécessaire. On trouve, éparses dans la tradition biblique, des mesures qui concernent l'arbre, les oiseaux, les animaux domestiques, des interdits à l'égard des animaux impurs, interdits qui semblent renvoyer à une notion de l'ordre et du désordre, à une classification nette des espèces (Douglas 1992). Mais on ne peut y voir un véritable souci écologique, tout au moins dans la tradition judéo-chrétienne. Alors que l'élan spirituel, tel que dévoilé par les psaumes, témoigne d'une communion très forte avec la nature.

On peut penser que nos ancêtres n'avaient en général pas besoin d'une éthique de la terre. La nature restait la plus forte. Maintenant que l'être humain a déployé sa puissance et qu'il menace les équilibres de la planète, émerge la nécessité, voire l'urgence, d'une éthique de l'environnement. Aux deux tables de la Loi, qui concernent Dieu et autrui, il convient d'ajouter une troisième table qui définirait notre rapport à l'environnement. La question soulevée est donc la suivante: avons-nous des responsabilités d'ordre éthique à l'égard de l'environnement? Maintenant que l'être humain a acquis une si grande puissance technique, un si haut degré de consommation et un tel niveau de population, n'y a-t-il pas risque de dépasser le seuil de tolérance de la planète et d'entrer dans un cycle de mort? Si nous ne le faisons pas par souci de la planète, ne faut-il pas le faire pour notre propre survie? On retrouve là le pari de Pascal: d'un côté, perte infinie et gain médiocre, de l'autre, gain infini et perte médiocre (Serres 1990). Au-delà de sa simple utilité pour nous comme condition d'existence, la nature n'a-t-elle pas une valeur en elle-même, une beauté intrinsèque qui mérite respect, sinon vénération? Ici l'éthique rejoindra nécessairement la mystique.

Deep Ecology et Environmental Ethics

C'est dans le monde anglophone et particulièrement aux États-Unis que la réflexion se fait la plus insistante pour redéfinir les relations que les êtres humains doivent entretenir avec le milieu écologique. Rappelons la distinction entre écologisme et environnementalisme. L'écologisme, qui veut un renversement total de perspective, a généré tout un courant de pensée qu'on appelle *Deep Ecology*, ou écologie radicale, en opposition à «shallow ecology» ou écologie superficielle. On voit d'entrée de jeu que la classification est méprisante. Qui veut se faire traiter de superficiel?

La *Deep Ecology* s'inspire de philosophies les plus diverses. Elle est devenue comme l'air du temps et pénètre de nombreux mouvements de militance, radicaux comme *Earth First*, conservationnistes comme le *Sierra Club* ou l'*Audubon Society*, plus ou moins alarmistes comme *Greenpeace* ou *Friends of the Earth* (Les amis-e-s de la Terre). Il n'est pas facile de voir clair entre la naïveté, l'enthousiasme, le besoin d'action et des perspectives plus théoriques, des philosophies panthéistes ou même carrément anti-humanistes. Les milieux français, très cartésiens, s'inquiètent souvent d'une dérive vers la misanthropie, ou même vers un fascisme écologique. Il convient de rester vigilants, mais je ne suis pas sûr que l'on comprenne en France la perspective d'ensemble de la problématique. J'ai analysé ailleurs ces courants plus en profondeur (Beauchamp 1993, 1995b, 1995c. Voir aussi Desjardins 1995). Mais il convient d'esquisser sommairement un portrait.

Ce qu'on appelle en anglais *Environmental Ethics* et qu'on peut rendre en français par «éthique de l'environnement» consiste principalement dans une approche philosophique sur le point de départ de l'éthique. Traditionnellement, dans la culture judéo-chrétienne, la perspective est anthropocentrique, c'est-à-dire centrée sur l'être humain. L'être humain est vu comme le maître de l'univers, comme le responsable du monde, presque toujours en allusion au texte du livre de la Genèse: «Dieu les bénit et leur dit: Soyez féconds, multipliez, emplissez la terre et soumettez-la; dominez sur les poissons de la mer, les oiseaux du ciel et tous les animaux qui rampent sur la terre» (*Genèse* 1,28). Indépendamment de l'exégèse de ce texte et de son insertion dans une représentation plus large de la tradition judéo-chrétienne (Beauchamp 1991: 162-171), les tenants de la *Deep Ecology* estiment que si l'on veut corriger la situation, il faut changer radicalement de point de vue. Cette vision seigneuriale de l'être humain, ce serait de l'orgueil, un orgueil de l'espèce, qui serait la source de la violence et de l'exploitation de l'ère contemporaine. Il y aurait donc, de notre part, erreur de perspective. Il faut retrouver un autre point de départ et réintroduire l'être humain dans le cosmos sans hésiter, s'il le faut, à le jeter en bas de son piédestal. Défi considérable, on s'en doute. Distinguons trois approches des visions non-anthropocentriques: le point de vue de l'animal, le point de vue du vivant, le point de vue de la terre, tout en admettant qu'il s'agit là d'une schématisation simpliste.

... le point de vue de l'animal

Au lieu de prendre le point de vue de l'être humain, prenons celui de l'animal. L'animal n'est pas une mécanique. C'est un être de chair et de sang, qui connaît la douleur, qui apprend et s'adapte, qui vit un certain nombre de sentiments. Or souvent nous traitons les animaux comme des choses: nous nous en servons, nous les domestiquons, les élevons, les tuons, les chassons, les mangeons. Dans les laboratoires, nous les faisons souffrir d'une manière systématique et cruelle. Les conditions d'élevage actuelles sont affreuses. On est maintenant loin de l'animal familier de la ferme d'autrefois, qui avait un nom, un lieu, une histoire. Pour sortir de l'impasse où nous nous enlisons, il convient donc de mettre en évidence le fait que nous avons désormais des devoirs envers les animaux. Plus encore, ces derniers devraient avoir des droits. Selon l'éthique utilitariste de Bentham, c'est le plaisir ou le déplaisir qui constitue la norme de la moralité. Or l'animal peut ressentir du plaisir, ainsi que de la douleur ou du déplaisir. Il peut souffrir. Imposer une souffrance à l'animal, c'est donc faire le mal. En conséquence, selon certains, seul le végétarisme (abstention de la viande), ou même le végétalisme (abstention de toute chair vivante et de ses dérivés: œufs et fromage) sont donc licites. La recherche en laboratoire sur les animaux devrait être interdite ou limitée aux seuls cas d'extrême nécessité, en respectant des critères sévères. Par ailleurs, l'animal de compagnie (chat, chien, oiseau) serait une aberration puisqu'elle correspond à une humanisation (aliénation) de l'animal. De même des jardins zoologiques. Il va aussi de soi que la chasse et la pêche seraient inacceptables. On ne pourrait tuer que pour soulager la souffrance extrême d'un animal ou pour sa propre légitime défense. On rapporte volontiers que le docteur Schweitzer n'osait même pas tuer un insecte. D'une position à l'autre, selon les auteurs, il y a des débats considérables. Par exemple, faut-il considérer chaque vie animale individuelle ou considérer une espèce dans son ensemble (approche holiste)?

... le point de vue du vivant

Pourquoi à vrai dire faudrait-il considérer seulement l'animal, et l'animal doué de sensibilité avec un système nerveux central? L'arbre aussi est vivant et mérite considération. Pourquoi attribuer une valeur à une vie, humaine ou animale, et aucune valeur à la vie végétale? Le monde végétal est complexe et fascinant. Ne peut-on prendre, en toutes choses, le point de vue de la vie elle-même? C'est le point de départ du biocentrisme. Les vies se valent, toutes les vies. D'où un devoir de révérence envers toute vie et une casuistique parfois fort complexe pour établir la moralité de certaines décisions surtout en ce qui concerne la vie végétale, *a priori* moins angoissante: bâtir une route, implanter un terrain de golf.

Aucun auteur ne conteste à quiconque le «droit» de manger et de consommer des végétaux. Il serait facile de glisser ici dans le ridicule, surtout si on essayait de déterminer la moralité d'actes isolés. Mais si on en retient la visée d'ensemble, on comprend qu'une approche biocentrique développera un souci de sauvegarde des habitats et de conservation des espèces. Chaque espèce acquiert une valeur intrinsèque (le mot a été ratifié à Rio) et presque absolue. La figure de Noé qui, dans son arche, aurait sauvé les espèces vivantes est ici hautement symbolique. Dans une perspective biocentrique, il convient aussi de signaler que certains condamnent le recours aux antibiotiques puisque ces derniers tuent la vie, pendant que des groupes militants pratiquent le sabotage pour protéger les arbres des travailleurs de la forêt (Monkey Wrenching).

... le point de vue de la Terre

Élargissons le cercle davantage, poussons plus loin la métaphore. Ne pourrait-on prendre en toutes choses le point de vue de la pierre, du ruisseau, de la montagne, définir une espèce d'harmonie intrinsèque qui confère à la réalité naturelle une valeur propre, indépendante et antérieure à tout regard humain? Pourquoi attacher tant de valeur à ce qui est venu si tard dans l'histoire de l'évolution, c'est-à-dire l'espèce humaine, et si peu à ce qui est là depuis des milliards d'années, la terre elle-même? Le tout ici est plus grand non seulement que chacune des parties mais que la somme des parties. C'est le triomphe de la vision holiste. On peut considérer la vie dans son ensemble comme une chaîne où, finalement, la présence de chaque maillon est essentielle, indépendamment de la qualité intrinsèque de chacun. Inconsciemment, dans cette perspective, l'ordre des choses est perçu comme une réalité plus ou moins normative. Comme on dit en anglais, c'est un «is» qui devient un «ought». Nous glissons progressivement vers une conception sacrale des choses. La communauté de vie dont nous faisons partie demande non seulement considération et admiration, mais aussi vénération. On sent émerger le terme d'intégrité écologique qui connaît une immense fortune actuellement et qui soulève des questions insolubles: qu'est-ce que l'intégrité dans un système dynamique et ouvert en constante évolution? L'éthique de la terre suscite la prudence et la précaution, demande une attention au tout et aux processus. Elle agit comme une inspiration. Mais il est bien difficile d'en faire une éthique précise et rigoureuse. Faudrait-il se suicider pour que la nature existe?

Quand on lit beaucoup d'écrits de philosophie environnementale et de considérations sur l'*Environmental Ethics* au sens restrictif du terme, on a vite l'impression de tourner en rond. La dénonciation de l'approche anthropocentrique est devenue comme un lieu commun qui se prolonge à l'infini par le jeu du commentaire. Une fois les premiers auteurs établis, les nouveaux venus doivent montrer patte blanche et se référer à leurs aînés. C'est un phénomène d'entraînement culturel: en français, il faut citer Descartes, en anglais, Bacon et Bentham. Maintenant, il faut citer la philosophie devenue *deep*, c'est-à-dire celle qui prend résolument le point de vue de la terre, souvent en négation du point de vue des humains ou carrément contre lui. Des écoles et des courants de pensée *deep* s'implantent qui deviennent dominants. Il faut voir le nombre de colloques et de rencontres sur ces questions. Les amis se citent entre eux (dans les curriculums universitaires, pour l'obtention de crédits de recherche, il faut maintenant dire combien de fois d'autres auteurs nous citent) et il devient difficile de sortir des sentiers battus.

Cette unanimité subtilement imposée provient également d'une tendance très forte dans la société américaine, que l'on appelle la rectitude politique (*political correctness*), qui correspond à une forme d'intolérance et par laquelle un groupe impose sa vision à la société. Les courants changent, mais les attitudes se ressemblent, depuis les mouvements abolitionnistes qui ont obtenu l'interdiction de l'alcool au début du siècle en passant par les courants anticommunistes sous l'ère McCarthy au début des années cinquante, jusqu'aux objets actuels de la militance: le racisme, la défense des animaux, le droit des non-fumeurs, le harcèlement sexuel, etc. Indépendamment de la valeur intrinsèque de chaque cause, ce dont nous ne discutons pas, il semblerait y avoir ici un effet de démesure qui absolutise une valeur en l'isolant de son contexte. Jean Pichette commentait dans *Le Devoir* (7 mai 1996) un fait divers bouleversant: «en prétendant s'appuyer sur des droits constitutionnels, un chien a intenté une action en justice, aux États-Unis, après s'être vu refuser l'accès à la terrasse d'un restaurant». La fascination de la *Deep Ecology* revêt donc un aspect inquiétant qui pourrait ressembler à de l'intolérance.

Traditionnellement, la culture américaine semble très marquée par la présence en son sein d'émigrés qui ont fui leur pays en tant que victimes de persécutions et qui vivent donc souvent à la marge de la société, à sa frontière, en opposition à son centre. Ces gens sont perçus comme faibles, fragiles, menacés. Douglas et Wildavsky les dénomment «sectarians», qui n'a pas ici le sens méprisant de sectaires, mais plutôt de minoritaires. «Un des traits caractéristiques de notre époque, c'est que les groupes minoritaires (*sectarian groups*) peuvent se servir du gouvernement pour imposer à leurs adversaires les restrictions réglementaires qu'ils souhaitent (*Impose restrictive regulations on their enemies:* Douglas et Wildavsky 1983, p. 173). Les minoritaires auraient tendance à imposer leurs valeurs au milieu social. Sous cet angle, la *political correctness* doit nous interroger: elle ressemble à ce que Jean-Marie Pelt (1990) appelle un effet de mode, ou encore à ce que Lucien Sfez (1992) appelle la maladie de la société de communication: le tautisme, contraction de autisme (incapacité de communiquer avec l'autre) et tautologie (j'en parle, donc je l'ai prouvé).

Il y a dans l'*Environmental Ethics* un souci émouvant de prendre réellement en compte toute la crise écologique et de trouver une manière adéquate d'y parvenir. Elle le fait par une réduction de l'être humain au statut des objets de nature, ou plutôt par l'attribution aux réalités non humaines (animaux, plantes et éléments) d'un statut analogue à celui des humains. Cela semble efficace à court terme. Mais un effet pervers est possible: au lieu de traiter la nature avec respect, on pourrait en venir à traiter les humains comme des choses. La prise en compte de l'écosystème nous oblige finalement à redéfinir plus rigoureusement le lieu de l'espèce humaine, ce que Fernand Dumont appelait la culture. Nous y reviendrons.

Un élargissement du discours éthique

En lançant le thème de l'éthique de la terre. Leopold a donc ouvert une question qui ne peut plus être close. Nous devrons vivre désormais avec elle. Mais l'éthique s'inscrit principalement dans l'intersubjectivité humaine. Saint Thomas affirmait que tous les commandements de la deuxième table ne constituaient qu'une élaboration des exigences de la justice, cette dernière devant assurer notre rapport adéquat à autrui. À cet égard, la Nature ne se situe pas devant nous dans le même type d'intersubjectivité que les autres humains. Leopold l'évoquait quand il nous invitait à prendre le point de vue de l'animal, de l'arbre et du ruisseau. Il y a là un «faire comme si» qui trahit une distance. L'intersubjectivité de la Nature s'inscrit dans une métaphore et j'ai peur, pour ma part, qu'une construction trop étroite de l'*Environmental Ethics* ne vienne durcir et pervertir la métaphore.

C'est pourquoi les essais de Hans Jonas (1990) et de François Ost (1995) sont si intéressants puisqu'ils tentent de situer l'éthique environnementale dans le prolongement de l'intersubjectivité humaine plutôt que dans sa rupture. Jonas le fait par l'évocation du principe de responsabilité (qu'il oppose à l'espérance et à la crainte) qui nous ouvre sur les générations à venir et nous oblige à considérer ces dernières comme des interlocuteurs potentiels. Cela nous force donc à protéger l'héritage contre la dégradation. Ost parvient à des perspectives analogues en mettant en œuvre le concept de patrimoine, cette réalité plus englobante que notre courte vie personnelle et qui nous renvoie à l'héritage reçu et à léguer. D'où l'importance primordiale du principe de précaution pour nos conduites personnelles et collectives. L'environnement a un bel avenir devant soi.

Une éthique des gestes concrets

Au delà de l'immense discussion sur la problématique de départ de l'éthique de l'environnement, il convient de préciser les exigences de la prise en compte de l'environnement dans nos conduites personnelles et collectives. Ce n'est pas un hasard si les États se dotent de lois et de règlements sur l'environnement. Le droit ici reflète, comme toujours, la nécessité et les valeurs. Nécessité de prendre en compte les effets pervers des activités humaines sur l'environnement. Nécessité de fixer des normes et d'exiger des garanties. Nécessité aussi d'assurer la justice en protégeant les éventuelles victimes contre les pollueurs. Problème local et international du transfert des nuisances et des pollutions. Enfin, émergence de nouvelles valeurs à travers, par exemple, les notions de paysage, de patrimoine, voire même de qualité de vie. Si nous pouvions, hier encore, nous en remettre aux forces et mécanismes de la nature pour contrer les perturbations causées par l'espèce humaine dans son déploiement, les dysfonctions que nous constatons nous obligent, comme espèce, à modifier certaines de nos conduites et à nous rendre responsables de l'environnement. L'éthique de la Terre est toujours une éthique pour l'humanité, pour orienter et guider les conduites humaines.

Il s'agit là d'un défi nouveau, difficile à préciser, qui concerne tout le monde en général, mais certains en particulier. Au plan international, les pays riches et technologiquement avancés sont plus responsables que les pays pauvres à faible technologie. À l'intérieur de chaque pays, les industriels, les savants et les politiciens sont les premiers responsables, et les riches plus que les pauvres. Chacune et chacun de nous sommes toutefois également directement concernés en tant que producteurs et consommateurs. Notre société a tendance à vouloir culpabiliser l'individu dans ses conduites personnelles, par exemple pour la gestion des déchets et les gestes de recyclage, ou l'habitude de fumer, en occultant les responsabilités d'amont des entreprises. La généralisation des contenants uni-services a d'abord été une décision de l'industrie avant de devenir un choix du consommateur.

Dans la vie courante, ce sont des centaines de gestes que nous posons pour tenir compte ou non de l'environnement, de l'achat des détergents et produits chimiques pour la maison, à l'entretien de la pelouse, à l'économie d'eau et d'énergie, à la prévention du gaspillage, à la récupération du papier, à l'alimentation, aux loisirs, aux habitudes de vie. Sur ce point, l'industrie verte se porte à merveille. Il existe des guides verts du consommateur ainsi que de très nombreuses associations qui nous guident, parfois avec naïveté, parfois avec calcul, vers des conduites responsables. Pour ma part, je me méfie des trucs publicitaires du genre: «à chaque achat, nous donnons 2 cents pour la protection des bélugas». J'aime mieux des efforts internes et systématiques pour améliorer la performance environnementale d'une entreprise que le battage publicitaire pour une bienfaisance extrinsèque à la gestion elle-même. Car c'est dans l'organisation interne, dans la production des biens, dans la gestion de l'entreprise, dans le contrôle de la pollution que résident les enjeux.

Dans la vie collective, nous faisons face à des méga-problèmes peu résolus ou pas résolus du tout: le transport et la prédominance de l'automobile privée, la planification urbaine, la production industrielle à tous les niveaux, l'économie d'énergie, les pollutions de tous genres, l'écotoxicité à travers la chaîne alimentaire depuis l'agriculture jusqu'à l'élevage industriel, la prévention et l'évaluation des impacts, l'évaluation sociale des technologies, la gestion des ressources naturelles (forêts et mer principalement) et, bien sûr, la production des armes de guerre. Les États ont mis en place des ministères de l'Environnement et des législations prometteuses. Mais la crise actuelle de l'État et sa volonté de se retirer au moment où la conscience politique n'est encore ni bien formée ni solidement implantée dans la culture risquent de renvoyer la question écologique à plus tard. Ce serait bien dommage.

4

LE SOUCI DES PAUVRES

*L*es débats internationaux sur l'environnement ressemblent à un dialogue de sourds. On a l'impression que les pays riches cherchent à protéger la Terre contre les humains et à imposer aux pays pauvres des contraintes écologiques. Les pays pauvres veulent sortir du cycle infernal de la pauvreté et donner à leur population des conditions de vie décentes: eau potable, logement, conditions sanitaires, système d'éducation, alimentation, travail. «Cessez de faire des enfants disent les pays riches.» «Nous avons nous aussi le droit de polluer», répondent les autres. En fait, il s'agit de deux problèmes différents mais interreliés.

La pauvreté des pays pauvres est, pour une très large part, une pauvreté provoquée par la mise en place du marché international et l'exploitation des matières premières. On connaît la fable du pot de terre et du pot de fer. Quand les deux s'entrechoquent, le pot de terre se brise. Quand un pays fortement industrialisé entre en interaction avec un pays à économie de subsistance, l'effet est souvent destructeur pour l'économie et la structure sociale du pays «moins développé.» Par ailleurs, il est certain que les effets planétaires d'une pollution généralisée qui, par exemple, accentuerait l'effet de serre auraient des conséquences catastrophiques plus graves sur les pays pauvres que sur les pays riches. Aux yeux des pauvres, le souci exclusivement écologique des pays riches de sauver la terre dans une perspective biocentrique apparaît comme un argument déguisé pour conserver les hauts standards de vie des pays riches en bloquant la voie d'accès des pauvres aux ressources de la terre. Si les ressources de la terre deviennent rares, nous verrons la course effrénée des plus forts pour mettre la main dessus. À l'inverse aux yeux des pays riches, le refus de pays pauvres de considérer sérieusement la crise écologique et de mettre en place des mécanismes de protection adéquats ressemble à de l'inconscience.

Il faut bien avouer qu'en écologie profonde, sauf exception, il n'y a pas beaucoup d'insistance sur le discours social. On déplore de préférence le fait que les humains soient trop nombreux. Il faut se tourner vers l'écoféminisme et l'écologie sociale pour retrouver un discours soucieux des pauvres. La raison est simple. Les approches spécifiquement non-anthropocentriques sont essentiellement préoccupées de la relation à l'environnement. Elles imaginent une espèce de fusion avec la Terre, en laissant entendre que lorsque l'harmonie régnait avec la Terre, les relations humaines étaient également harmonieuses. L'écoféminisme propose une hypothèse inverse. C'est l'instauration du patriarcat, c'est-à-dire l'établissement du pouvoir par la force du mâle, qui aurait ensuite conduit à un rapport de domination et de violence de la société humaine à l'égard de la nature. Avant le patriarcat, femmes et hommes auraient vécu en harmonie et établi avec la Terre-Mère une alliance harmonieuse. Pour l'écosocialisme, notamment chez Bookchin (1992), la rupture aurait d'abord commencé chez l'être humain par l'instauration du capitalisme. Quand des humains ont exploité d'autres humains, alors aussi on aurait traité la nature comme un objet. Rappelons que le récit de la Genèse, qui est un récit théologique, situe la rupture primitive dans le rapport de l'être humain à Dieu, laquelle rupture détruit l'harmonie humaine puis instaure une opposition avec le milieu naturel.

En réalité, la question de la justice pour les pauvres de la planète est étroitement liée à la dégradation de l'environnement d'une part et à la situation internationale d'autre part. En un sens, la pauvreté est la pire des pollutions. Une situation d'extrême pauvreté conduit à détruire les dernières ressources existantes, comme cela arrive pour le bois de chauffage ou le surpâturage. Sans perspective d'avenir, les pauvres cherchent à survivre à tout prix et risquent de ce fait de porter une atteinte irrémédiable aux maigres ressources qui restent. C'est pourquoi dans le rapport Brundtland on a parlé de développement durable ou soutenable: «la commission estime que la pauvreté généralisée n'est pas une fatalité. Or, la misère est un mal en soi, et le développement soutenable signifie la satisfaction des besoins élémentaires de tous et, pour chacun, la possibilité d'aspirer à une vie meilleure. Un monde qui permet la pauvreté endémique sera toujours sujet aux catastrophes écologiques et autres» (CMED 1987: 10).

Pour sortir du processus de détérioration, les pays pauvres doivent vaincre rapidement la pauvreté et entrer dans un processus de développement qui tienne compte des ressources disponibles et des capacités de soutien du milieu écologique. Mais pour cela, il faut évidemment une transformation des échanges économiques internationaux et une compréhension renouvelée du développement. Toujours selon Brundtland, deux conditions s'imposent alors: «premièrement, le renouvellement des écosystèmes dont dépend l'économie mondiale doit être garanti et deuxièmement, les partenaires économiques doivent avoir l'assurance que la base des échanges est équitable. Pour de nombreux pays en développement, aucune de ces conditions n'est satisfaite» (CMED 1987: 21).

Ainsi la crise écologique mondiale ne peut pas être solutionnée sans un changement des pratiques sur l'ensemble de la planète. Pour y parvenir, les pays en voie de développement doivent résoudre le problème de la pauvreté, ce qui suppose la réforme des règles de l'échange entre pays riches et pays pauvres et exige donc des pays riches un changement profond d'attitude. Sur un plan global, écologie et justice sont alors les deux faces d'un même problème. Pour faire face à la crise, il faut aussi que les pays riches changent leurs modes de consommation. «Pour que le développement soutenable puisse advenir dans le monde entier, les nantis doivent adopter un mode de vie qui respecte les limites écologiques de la planète» (CMED 1987: 10). La boucle serait alors bouclée.

Essayons d'illustrer ce lien de la justice et de l'environnement à trois niveaux en analysant brièvement la situation internationale, la situation canadienne, la situation amérindienne.

... la situation internationale

J'ai indiqué que, pour les pays pauvres, le défi consiste à sortir de la pauvreté, mais que cet objectif suppose un réalignement de la dette internationale et une modification des termes de l'échange. Or il est bien connu, depuis longtemps, que le marché international pousse les pays pauvres à exporter vers les pays riches des produits désirés par ces derniers: du pétrole, diverses ressources minières, du bois, du café, des fruits et légumes, de la viande de bœuf, du poisson, etc. Pour ce faire, par exemple en agriculture, les pays en voie de développement détruisent des cultures vivrières diversifiées, qui traditionnellement nourrissent leur population, et se lancent vers la monoculture intensive qui modifie le rapport à la terre ainsi que la structure sociale sous-jacente.

De plus, la monoculture est fragile: il faut donc des engrais et des pesticides qui proviennent des pays développés. Si les prix tombent, le pays pauvre s'enfonce davantage dans la dette. À ce sujet, il y a des histoires d'horreur. Prenons, par exemple, celle-ci venant du Japon. Les Japonais aiment manger avec des baguettes de bois qui ne servent qu'une fois, rite qui a un sens vaguement religieux. Pour avoir des baguettes, le Japon achète du bois des Philippines ou de Thaïlande. La déforestation dans ces pays s'accélère de façon catastrophique. Dans certaines régions fournissant le bois, les populations locales refusent d'abattre la forêt pour des motifs religieux. On fait alors simplement venir des bûcherons étrangers. Plus proches de nous, les forêts québécoises servent principalement à fournir le papier pour le marché américain. Sur le marché intérieur, le prix du papier a tellement monté qu'une partie de l'édition canadienne des livres et des journaux s'en va à la faillite. De ce point de vue, l'économie canadienne est, dans beaucoup de secteurs, une économie du tiers monde camouflée par un niveau de vie élevé et un marché intérieur actif. Dans le cas de la «guerre» du turbot ou du flétan noir avec l'Espagne en 1995, une manœuvre audacieuse a réussi contre toute attente. Après s'être imposé d'abord à lui-même des quotas sévères, le Canada a défié le droit en arraisonnant des bateaux espagnols en eaux internationales. Ce faisant, il a forcé l'opinion internationale à réagir: les gens se sont assis autour d'une même table et ont convenu de mesures de protection adéquates pour la ressource turbot, une ressource à vocation mondiale accessible à plusieurs mais où chaque acteur doit convenir d'une limite.

Plus subtile est la question de la recherche et des médicaments brevetables ou des espèces génétiquement modifiées. C'est bien connu, la grande forêt tropicale est une réserve d'espèces animales et végétales absolument unique. Cette forêt est menacée à cause de l'abattage intensif qu'on y pratique à des fins de production alimentaire, à très court terme, dans une stratégie de marché international. Avant que cette ressource ne se perde, les compagnies occidentales font des recherches intensives pour en tirer profit le plus vite possible, notamment par la mise au point de médicaments nouveaux issus d'espèces végétales exotiques. Mais le brevet obtenu appartient à la compagnie qui développe le médicament alors que le pays où se trouve la ressource d'origine ne reçoit aucune redevance. Dans le cas d'espèces génétiquement modifiées comme pour certaines céréales, on ira chercher les souches d'origine dans le pays en voie de développement. On développera alors l'espèce ou variété nouvelle dans les pays riches puis, on imposera au pays d'origine d'utiliser cette semence en la lui vendant à bon prix (Bouguerra 1992:33-61).

Le défi écologique mondial ne consiste donc pas prioritairement dans le fait de savoir si, oui ou non, la Chine va ratifier le protocole de Montréal sur l'élimination des CFC, bien que cela ne soit pas négligeable, ni sur la mise en place de pots catalytiques sur les autos en Égypte. Il consiste à s'assurer que les pratiques des pays riches n'ont pas un effet destructeur sur l'environnement des pays pauvres et sur leur situation économique. C'est là qu'est le vrai défi. En 1995 et 1996, dans un grand renfort de publicité, le premier ministre du Canada, Jean Chrétien, a invité les premiers ministres provinciaux à une tournée des pays du Sud-Est (Chine, Inde, Pakistan, etc.). On appelle ce groupe *Canada-Team*, comme pour le hockey. Monsieur Chrétien n'a pas insisté sur le respect des droits de la personne. Le but était commercial. On nous a appris depuis que, par exemple, au Pakistan, la situation des enfants au travail était semblable à celle qui existait en Angleterre au début du XIXe siècle. Un capitalisme sauvage. Monsieur Chrétien n'en parle pas. Il fait du commerce. Peut-être paierons-nous nos jeans moins cher. Faut-il dire merci?

Il y a donc, dans les faits, plusieurs discours écologiques. Par bonheur, la conviction émerge que le discours écologique adéquat doit être à part entière un discours d'écologie sociale qui étudie le retentissement de pratiques d'exploitation des ressources sur les rapports sociaux au sein de la société. Or, au plan international, ce que nous observons, c'est l'expansion rapide du marché, d'un marché sauvage. La chute des régimes communistes a laissé toute la place au capitalisme. Loin d'atténuer sa pression, le capitalisme entre dans une étape de nouvelle concentration. Il n'est plus le fait d'un État, mais d'une classe internationale de possédants qui parvient à éviter les contraintes de type national et implante la globalisation comme une façon d'échapper aux régulations de l'État-Providence.

On connaissait depuis longtemps le phénomène des drapeaux de complaisance pour les grands transporteurs navals. Le phénomène pourrait s'accentuer dans d'autres secteurs. Par exemple, des entreprises riches soudoient des régimes corrompus et implantent des sites de déchets dangereux dans des conditions de gestion qui seraient inacceptables dans le pays d'origine. On peut donc, à la fois, tenir à l'intérieur du pays d'origine un discours de haut standard écologique pour la bonne image politique et le prestige international, mais pratiquer en sous-main une politique d'exportation irresponsable de ses déchets. D'une manière structurelle, l'entreprise a pris le pas sur l'État et mis ce dernier sous sa propre tutelle. «On assiste ainsi, à l'échelle de la planète, à une nouvelle division des tâches entre les pouvoirs économiques et politiques» (Groupe de Lisbonne: 131). Dans le même sens, «on pourrait voir le libre-échange moins comme un mécanisme pour promouvoir l'efficacité que comme une déréglementation qui permet aux multinationales de s'implanter là où les coûts salariaux y inclus les avantages sociaux publics et privés, sont les plus faibles et où elles peuvent obtenir les concessions fiscales les plus intéressantes» (Rose 1996).

De plus, c'est un fait observé, le redéveloppement de l'économie par le passage à l'informatisation crée une richesse nouvelle avec diminution du nombre d'emplois et augmentation du taux de chômage, concentrant de ce fait des richesses plus nombreuses en des mains plus rares: enrichissement exponentiel des uns, appauvrissement exponentiel des autres. C'est le processus d'exclusion. Ce phénomène observable sur le plan local l'est également sur le plan international. Vingt pour cent des riches de la terre consomment 80% des ressources. Le rapport Brundtland parle d'un rapport de 80 à 1 pour la dépense énergétique entre un Nord-Américain et un résidant de l'Afrique sub-saharienne (CMED: 202), d'un rapport global de consommation de 60 à 1 entre les pays industriels à économie de marché et les pays pauvres autres que la Chine et l'Inde

(CMED: 34). En ce sens également, il y a contradiction entre un discours international de protection de l'environnement comme celui de Rio (1992) et la pratique internationale du marché qui accentue la dette du tiers monde et impose un modèle d'exploitation des ressources non viable.

Paradoxalement, il nous faut conclure que le problème écologique mondial ne peut être solutionné par la simple mise au point d'une politique écologique mondiale. Il suppose, au préalable, une victoire sur la misère et l'accession des masses pauvres à un statut économique et social «équitable». D'où la clameur, venue surtout d'Amérique du Sud, de rendre la terre aux pauvres: on parle alors de peuples vivant sur des territoires ancestraux selon un mode d'insertion qui leur est propre et qui a atteint une efficacité certaine dans le cadre de leur économie traditionnelle et qui sont maintenant chassés de leurs terres pour faire place à une agriculture de marché écologiquement non viable et terriblement destructrice.

Derrière la revendication de la terre et des péripéties des réformes agraires, c'est l'exclusion qui est l'enjeu véritable. L'entrée dans la modernité, ou même l'entrée dans le marché n'a de sens que si on s'assure d'abord de l'inclusion des populations concernées. Autrement, il n'y a pas de développement. On déclenche une crise sociale qui se dégrade ensuite en crise écologique.

... la situation canadienne

En environnement, la situation canadienne semble enviable. Le territoire est immense et la population relativement peu nombreuse. Le Canada dispose d'une surabondance d'eau douce au moment où l'eau potable devient rare au plan mondial, des ressources forestières considérables, un territoire agricole important, malgré la sévérité du climat. Inscrit d'abord dans le monde anglophone, le Canada a pris le train des nations anglo-saxonnes: États-Unis, Angleterre, Australie, Nouvelle-Zélande. Moins avancées qu'aux États-Unis, ses lois environnementales sont tout de même jugées excellentes alors que la qualité des études et des rapports est reconnue.

Dans ce domaine comme dans les autres, il y a une tension non-résolue entre le gouvernement fédéral et les provinces, étant donné la manie du gouvernement fédéral de vouloir continuellement envahir les champs de compétence provinciaux, et de chercher à doubler les législations et les réglementations. On ne refera pas ici le procès du fédéralisme. En environnement, le gouvernement fédéral devrait se contenter de faire ce qu'il fait très bien: développer la connaissance et l'expertise et laisser l'intervention aux provinces, selon le slogan écologique créé par René Dubos: penser globalement, agir localement. En cherchant à imposer ses juridictions, Environnement-Canada risque d'uniformiser et de centraliser, sans nécessairement mieux protéger l'environnement.

Il existe, au Canada, des problèmes écologiques importants et complexes. Nous avons, par exemple, la consommation d'énergie la plus élevée du monde, ce qui peut s'expliquer en partie par la rigueur du climat et l'étendue du territoire. L'exploitation forestière y a été particulièrement sauvage et les ressources marines de l'Est ont été largement surexploitées au point qu'il faut interdire ou contingenter la pêche pour assurer la pérennité des ressources. Les pratiques de conservation d'eau potable dérivent allégrement vers le gaspillage. La production des déchets demeure très élevée (une demi-tonne par année par habitant pour les déchets domestiques) et la qualité de leur gestion semble très variable. Par ailleurs, l'opinion publique étant éveillée, beaucoup d'efforts ont été investis depuis vingt ans pour changer les pratiques et mettre en place des mesures de correction.

Du côté de la justice, nous avons les mêmes problèmes que tout le monde, en moins aigu, peut-être. Si on fait exception du problème amérindien, notre société fut assez peu inégalitaire et l'avenir était, en général, ouvert, sauf pour les Québécois et les Québécoises dont un nombre important a dû émigrer aux États-Unis (1840-1930). Depuis 1940, au plan économique comme au plan social, la situation a été presque idéale, puisqu'il y a eu à la fois, et c'est si rare, enrichissement et distribution de la richesse. Depuis dix ans, nous assistons à un ressac, très manifeste d'abord en Angleterre et aux États-Unis, mais en plein essor ici actuellement. Croulant sous les dettes, l'État recule. L'État fédéral se désengage et refile le fardeau aux provinces. L'État provincial se désengage à son tour: Manitoba, Colombie-Britanique, Ontario, Québec.

Nous assistons à la révolte des riches. Pendant presque trente ans, grâce à l'essor incroyable de l'après-guerre, les riches et les moins riches ont fait bon ménage. Les moins favorisés réalisaient des gains substantiels tandis que les riches, profitant des progrès rapides de l'ensemble, devenaient encore plus riches. On a cru à l'État-Providence, à l'éducation et à la santé gratuites, à la permanence de l'emploi, à une fonction publique dynamique et efficace. Prenant l'ascenseur avec les autres préoccupations sociales, l'inquiétude face à l'environnement est montée en flèche.

Vers 1990, selon les sondages, c'était la première préoccupation de la population.

Voici venu le temps du désenchantement! L'essor économique a ralenti, la dette s'est accrue. Des marchés nouveaux, internationaux, se sont ouverts pour des pays en voie de développement où les syndicats sont moins puissants, les ouvriers moins exigeants, les contraintes environnementales moins sévères, alors qu'ici la population vieillit et manifeste moins de dynamisme. À l'intérieur, nous assistons à la revanche des riches, revanche contre l'État d'abord, lequel croule sous les dettes et l'inefficacité. Une classe sociale, les bureaucrates, avait à notre insu mis la main sur l'État et la société. Nous le comprenons, mais trop tard. Et la facture est lourde. Mais la revanche des riches vise surtout les pauvres: les assistés sociaux, les chômeurs, tous ceux et celles qui coûtent de l'argent sans en rapporter. Alors on joue l'argument du plus petit commun dénominateur. Réduire le filet de sécurité sociale. Pour les questions médicales, on devrait donc s'aligner sur les États-Unis, pour les lois du travail sur le Mexique, et ainsi de suite en ce qui concerne l'environnement, la taxation, la retraite, les bénéfices sociaux. C'est à nouveau le phénomène de l'exclusion.

En environnement, on peut s'attendre à un pareil *backlash*. Verra-t-on une réduction des normes environnementales ou la mise en place d'attitudes plus permissives? Il n'est pas facile de voir clair entre une réduction de la paperasse et des tracasseries administratives de l'État et une manœuvre de dilution de la protection. Verra-t-on une modification des procédures d'évaluation et d'examen des impacts dans le sens d'une érosion des droits des citoyens?

Actuellement, les procédures en cours sont parmi les meilleures au monde. Mais il devient difficile d'implanter les nouveaux équipements: usines locales, sites de disposition des déchets, entrepôts, routes, lignes de transport d'énergie électrique, etc.

À cause de l'inquiétude qui accompagne la mise en place de nouveaux projets, on assiste souvent à une résistance farouche du milieu directement touché, qu'on désigne du titre un peu méprisant de NIMBY: «not in my backyard», pas dans ma cour (PDMC). C'est ici que se joue la question de l'équité. Comment s'assurer que les règles du jeu soient les mêmes pour tous, qu'elles soient transparentes, qu'elles donnent des chances égales à tout le monde? Comment faire pour que le partage des risques et des bénéfices soit également réparti, pour empêcher que les uns aient tous les avantages et les autres tous les inconvénients. Ici le simple rapport du nombre ne suffit pas, car autrement on sacrifierait toujours le minoritaire au majoritaire, la campagne à la ville, le pauvre au riche sous la façade d'un calcul avantages-coûts.

Parce que la question écologique se répercute toujours en question sociale, il est essentiel de faire émerger constamment la question de l'équité. D'où l'importance de ces nombreux comités qui naissent à propos de l'implantation d'un projet nouveau, ou à propos de la gestion courante d'un équipement déjà en place qui génère des nuisances ou des risques, ou encore à propos de valeurs et attitudes nouvelles à promouvoir comme on le voit pour la gestion des déchets domestiques, pour le recyclage, ou pour des campagnes d'embellissement, de nettoyage, de conservation, etc.

De ce point de vue, l'environnement est une valeur essentiellement publique. Il ressortit au patrimoine commun de l'humanité. Et c'est pourquoi toute personne y est impliquée puisque c'est une part de sa vie qui s'y trouve compromise. Inconsciemment on voudrait faire de l'environnement une question de savants, d'experts, de décideurs, de promoteurs, voire de militants. Sans doute, chacun a-t-il sa compétence propre. Mais chaque citoyen, chaque citoyenne, est directement concerné par la sauvegarde de l'environnement. Ici la revendication écologique rejoint la revendication démocratique, au point souvent de s'y confondre.

... la situation amérindienne

Pour une part, la situation amérindienne recoupe la situation générale de bien des manières. Elle s'en distingue pourtant par au moins trois traits: la spoliation d'origine, les savoirs traditionnels, la transition culturelle.

Quand les Européens sont arrivés en Amérique, ils ont entrepris une œuvre de colonisation. Ils ont été accueillis par les populations locales qui n'avaient pas les mêmes notions qu'eux de la propriété du sol et de l'appartenance à la terre. Ce fut un choc de cultures et d'intérêts dont nous mesurons plus clairement les enjeux, quatre siècles plus tard. Sur le territoire canadien, ce sont deux nations rivales, l'Angleterre et la France, qui ont fait des alliances stratégiques avec des nations amérindiennes, elles-mêmes en guerre les unes contre les autres, comme l'ont montré les déboires de Samuel de Champlain. En 1701, il y avait déjà une paix convenue entre la Nouvelle-France et certaines nations amérindiennes. Paix qui s'est vite effritée quand les colonies anglaises ont poursuivi sans relâche la guerre à la colonie française du Canada. À partir de 1760, la question amérindienne relèvera donc de l'Angleterre. Après le régime des deux Canada (1791) puis de l'Acte d'Union (1840), la Confédération canadienne a fait relever les Amérindiens des lois fédérales.

Je ne parle pas des faits d'armes contre les Métis de l'Ouest ni de l'ouverture des derniers territoires. Tous reconnaissent que la loi sur les Indiens implantait une gestion paternaliste, assimilatrice, pas du tout respectueuse des langues et des cultures d'origine. Le territoire ancestral, qui était perçu comme un réseau d'appartenance collective, s'est réduit à des réserves de plus en plus confinées. Depuis une vingtaine d'années, nous assistons à l'émergence de nouveaux concepts: des conventions ou négociations territoriales, des formes d'autonomie gouvernementale qui se rapprochent de pouvoirs municipaux, une redécouverte de l'identité et de la spécificité des cultures amérindiennes. Voici une histoire douloureuse, où il y a certainement eu spoliation d'origine et compensation inadéquate et où nous assistons maintenant à une recherche tâtonnante d'équilibres nouveaux au sein de laquelle les querelles constitutionnelles actuelles constituent un terrain de bagarres et de confusion plus que propice. Les malaises au Québec, en Ontario et en Alberta ces dernières années montrent bien que l'ancien modus vivendi est inadéquat mais qu'un nouvel ordre n'a pas été institué. La relation au territoire n'est pas clarifiée et constituera un énorme casse-tête pour longtemps.

La deuxième pierre d'achoppement est celle du lien entre les savoirs techniques et les savoirs traditionnels. Il

87

est faux de se représenter le savoir scientifique comme un vrai savoir, solide et quasi infaillible, et le savoir amérindien comme imprécis ou invalide. On pense parfois que l'insertion amérindienne dans le territoire est un état de nature, sous prétexte qu'elle serait sous-tendue par une vision animiste des choses. C'est au contraire un état de culture. Une culture très marquée, qui est de type populaire et participatif, qui a ses mots, ses techniques, sa tradition, ses mythes, mais qui est un savoir riche et fort complexe. Il y a dans les cultures amérindiennes une taxonomie des plantes et des animaux, une conception de ce que nous appelons maintenant des écozones, une idée souvent claire des interrelations entre les espèces et des types d'exploitation possibles. Ce savoir, comme tant d'autres savoirs populaires, a été longtemps occulté. On en pressent mieux aujourd'hui la richesse et l'importance symbolique. Et c'est pourquoi, dans toute étude de projet, on essaie d'instaurer un dialogue entre les savoirs ancestraux et les savoirs scientifiques actuels.

«Décrire le savoir écologique traditionnel d'une population est une entreprise de grande envergure, qui doit mettre à profit toute la sophistication de la recherche en sciences sociales. Car le savoir en question ne saurait se réduire à une série d'anecdotes recueillies auprès d'un unique individu. Il s'agit d'un ensemble organisé et cohérent qui est partagé par une collectivité, et dont les individus ne sont pas nécessairement conscients. Par conséquent, le défi consiste non seulement à inventorier le bagage de connaissances et d'idées qui est commun aux membres de cette collectivité, mais également à "révéler" leur articulation en un système cohérent» (Mailhot 1993: 43-33).

La troisième dimension de la situation amérindienne concerne la transition culturelle. Depuis un siècle au moins, l'entreprise canadienne sur les cultures amérindiennes en fut une de négation des cultures d'origine et d'imposition de la culture anglo-canadienne. Nous assistons depuis vingt ans à diverses formes de survivance et d'affirmation des langues, des rites, des coutumes, des cultures amérindiennes d'origine. C'est un phénomène heureux et opportun attribuable à de multiples facteurs. Il en est d'une culture qui meurt comme d'une espèce qui meurt: un héritage ancestral serait perdu, un témoignage que l'humanité se rend à elle-même dans son rapport à la nature. Mais ce réveil des cultures ancestrales ne fait que révéler encore plus cruellement la nécessité d'une transition culturelle. Il ne s'agit pas, en effet, de figer les nations amérindiennes dans un passé culturel formé de langues, de rites et de mœurs étranges, de les y confiner comme en un musée ethnologique. Il y a parfois dans certains regards écologiques sur le Grand Nord pareille ambition de figer le passé. Il s'agit au contraire pour les nations concernées d'assumer leur passé dans l'aujourd'hui. Passage complexe et difficile qui s'appelle une révolution culturelle.

Pensons au choc culturel que subit le peuple Inuit depuis cinquante ans. L'économie de subsistance qui valorisait le rôle et l'autorité du chasseur et du pêcheur a cédé le pas à un autre type d'économie qui change les rôles sociaux dans la communauté. Si l'on doit maintenant payer un individu pour qu'il continue à pratiquer les méthodes ancestrales de chasse, on comprend que la signification du geste n'a plus la même portée qu'autrefois. De même quand un groupe était en migration, si une personne malade ne pouvait suivre le rythme, elle restait à l'arrière et mourait dans la solitude après une série de rites et d'adieux extrêmement riches de sens. Mais si on dispose d'une motoneige ou d'un hélicoptère et que l'hôpital est accessible, les gestes ne seront pas les mêmes et l'architecture du sens sera modifiée. Les rituels d'adieu changeront et peu à peu la symbolique de la mort évoluera.

Toute culture subit un choc important lorsqu'elle croise la modernité, laquelle modernité ne signifie pas seulement des techniques nouvelles et des systèmes de communication mais aussi et surtout des manières de vivre, de sentir, de penser et de se représenter le monde. Il suffit d'observer ce que le choc de la modernité a voulu dire pour la culture québécoise traditionnelle, sur les mœurs sexuelles, les habitudes de vie, la pratique de la religion, le déplacement des élites pour entrevoir l'ampleur du défi. Pour les nations amérindiennes, tant que la transition culturelle se joue sous le registre de la revendication, cela va assez bien car la lutte commune assure une certaine cohérence. C'est après que le problème prendra son ampleur. Alors, c'est la culture profonde qui jouera et la qualité de la vie commune. C'est un truisme de dire que les pensées d'hier ne suffiront pas, même si l'héritage traditionnel dans sa conception du rapport à la terre est particulièrement riche et peut faire l'économie des ruptures (celles de Descartes et de Bacon) qui ont marqué l'histoire occidentale. Ce sera difficile, ce sera complexe, ce sera long.

5

VERS DE NOUVELLES VISIONS SPIRITUELLES

N ous vivons d'étranges paradoxes. N'est-il pas contradictoire de déployer tant d'efforts au plan international pour réfléchir sur l'avenir de la planète et mettre en œuvre des protocoles internationaux en vue d'éviter la pollution de l'air, préserver les forêts humides, sauvegarder des espèces menacées alors que, au même moment, l'industrie militaire fasse tant de progrès et que le commerce des armes soit si florissant?

Une pétition a circulé récemment dans mon milieu pour demander l'abolition des «mines antipersonnel», petites bombes qu'on enfouit dans le sol et qui sauteront au hasard d'un marcheur: soldat ennemi, compatriote, enfant. La production de ces mines coûte presque rien, de cinq à cent dollars, selon la «qualité» et la puissance. Mais pour les détecter et les désamorcer, on parle de milliers de dollars. Le commerce en est florissant car les sociétés humaines sont actuellement en effervescence et l'on ne manque pas d'exaltés pour prêcher quelque guerre sainte. On produit de ces «mines antipersonnel» au Québec. Ne faut-il pas gagner sa vie? Le chômage est si répandu. Et si on ne produit pas ces bombes ici, on les fera ailleurs. Et ainsi de suite. Alors nous engendrons les ouvriers pour produire les bombes, les militants pour faire signer les pétitions contre les bombes, les techniciens pour détecter et désamorcer les bombes dans les pays où la paix est revenue mais où le terrain demeure infesté, et les infirmiers et les médecins pour soigner les enfants qui sautent sur les bombes. Ces activités ne s'annulent pas: elles s'additionnent au produit intérieur brut (PIB). L'absurde ne fait pas mourir: la preuve, nous sommes toujours vivants!

Actuellement, la mode est aux animaux domestiques. On s'extasie devant Morris, le chat difficile, qui refuse tout autre nourriture que celle d'une marque connue, recommandée par des vétérinaires nutritionnistes en sarrau blanc. Aux États-Unis, on se servait des viandes recueillies par les préposés aux ramassages des carcasses animales le long des routes pour faire de la nourriture pour chien. La chose a été interdite, car comme il y avait des chiens écrasés dans les carcasses ramassées, des chiens mangeaient d'autres chiens, conduisant ainsi à la manducation du semblable, en analogie avec l'anthropophagie. Peu importe qu'entre-temps les enfants des quartiers pauvres manquent de lait, que les adolescents et adolescentes du quartier Hochelaga se prostituent pour se droguer en attendant d'avoir l'âge d'aller enfin en prison apprendre plus à fond les règles du métier. La société des humains est plus complexe à gérer qu'un animal domestique. Même quand il est tyran, l'animal domestique est perçu comme le prolongement de soi. On s'aime soi-même en l'aimant, d'où le vocabulaire de bébé qu'on use à son égard. L'enfant, surtout l'enfant de pauvres, est un autre, dont l'altérité paraît menaçante.

On n'en finirait plus de dénombrer les conduites paradoxales. Des militants pour la libération animale qui considèrent l'avortement comme une simple méthode de régulation de naissance, des militants pro-vie acharnés tout aussi acharnés pour le maintien de la peine de mort. Nous observons tout ensemble un désir absolu de non-intervention et de respect de la nature et des pratiques biologiques favorisant la fécondation in vitro et la congélation des embryons de rechange, le recours aux mères porteuses. Trouver ces conduites dans une société pluraliste ne doit pas surprendre. Il est plus troublant de trouver ces conduites chez les mêmes personnes, ce qui traduit une difficulté d'intégration des valeurs et des représentations symboliques, une difficulté énorme de la pensée.

Au-delà des problèmes éthiques que posent les modèles de conduite offerts par notre milieu, c'est aux significations qu'il nous faut remonter. Quelle est notre relation à la Nature? On sait qu'autrefois il y avait des tabous, par exemple sur le sexe et sur la mort. Mystérieux et sacré, le sexe renvoyait au mystère de la vie. On ne pouvait l'approcher que dans le cadre d'interdits et de conditions d'exercice. La Bible a gardé le souvenir tragique d'Onan (*Genèse* 38, 1-11) qui, ne voulant pas donner de progéniture à son frère, jetait sa semence par terre. Il en est resté le terme d'onanisme, lequel fut longtemps considéré comme une déviation grave. Semblablement, la mort était tabou et il fallait éviter d'intervenir d'une façon ou de l'autre pour la hâter. Le sang était également tabou, parce que le sang est la vie et la vie revêt un caractère divin. Encore aujourd'hui, les Témoins de Jéhovah refusent toute transfusion sanguine y compris pour quelqu'un en danger de mort.

Aujourd'hui, le sexe n'est plus tabou. Il est une chose banalisée, technicisée, qui a aussi beaucoup perdu de son mystère. La mort n'est plus tabou au même titre qu'autrefois et l'euthanasie, par exemple, est une réalité revendiquée par bon nombre. L'avortement, par ailleurs, est une réalité très débattue, notamment quand on parle d'un fœtus dont la viabilité est certaine selon les techniques d'aujourd'hui. Le sang est une réalité presque banale bien que le phénomène du sida et le débat au sujet du sang contaminé réactivent les anciennes controverses.

Si nous essayons de décoder l'univers mental des anciens, il nous faut constater que la nature se présentait pour eux sous un double visage. Elle était, d'une part, une réalité extérieure à soi-même, sur laquelle on pouvait et devait intervenir pour survivre et que l'être humain avait pour tâche de cultiver, sinon de domestiquer, selon la bénédiction de la Genèse: «soyez féconds, multipliez, emplissez la terre et soumettez-la; dominez sur les poissons de la mer, les oiseaux du ciel et tous les animaux qui rampent sur la terre» (*Genèse* 1, 28). D'autre part, la nature était aussi un ordre des choses qui s'impose à l'être humain et dont témoignent les tabous du sexe, de la vie, du sang. Il y avait un ordre de la nature, ordre divin à ne pas enfreindre. D'où l'importance considérable de discours relativement à la «loi naturelle» qui ont eu cours dans notre milieu jusqu'à la fin des années soixante, surtout en relation avec la régulation des naissances. On argumentait à l'infini pour préciser si une pilule qui bloquait l'ovulation allait dans le sens de la nature, ou contre elle. Dans ces cas, la nature biologique de la femme était perçue comme un ordre divin, éternel, immuable, extérieur à la volonté humaine et auquel il fallait se soumettre. L'état de fait devenait un état de droit. Aujourd'hui de semblables discours tenus à propos de la sexualité suscitent l'étonnement ou la révolte, surtout s'ils sont tenus par des hommes à propos des femmes.

Nous avons évoqué préalablement l'énorme mutation culturelle survenue à la Renaissance et lors de l'émergence de la révolution industrielle. Nous y retrouvons ici un cas de figure. Avant la Renaissance, la nature extérieure (au sens du milieu écologique) était perçue comme plutôt «séculière» et la réalité humaine comme «sacrée», empreinte de dignité et de grandeur, entourée en permanence d'un certain nombre d'interdits. Nous assistons maintenant au phénomène inverse: la nature redevient sacrée sous la figure de la Terre-Mère que l'on viole et que l'on souille, mais la réalité humaine de son côté perd ses interdits et devient un objet d'ingénierie manipulable à volonté.

En tant que souillure, la pollution devient alors la figure du péché. D'où l'immense sentiment de culpabilité qui se dilue partout, sentiment d'autant plus difficile à discerner que la pollution est diffuse, confuse et universelle et que nous n'avons pas de parade pour y faire face, ou, pour utiliser le vocabulaire du péché, pour obtenir le pardon. Je comprends alors certaines réactions extrêmes qui souhaitent plus ou moins clairement la disparition des neuf dixièmes de l'humanité pour sauver la Terre, victime innocente. Dans cette optique, c'est l'existence humaine comme telle qui est la chute du monde. À l'opposé, en tant qu'objet manipulable et modifiable, le corps humain et, par lui, l'être humain tout entier perdent leur caractère sacré et deviennent des objets qui doivent rendre compte à la nature. Dans l'héritage chrétien traditionnel, le sacré est dans l'être humain et c'est ce dernier qui, en tant qu'intermédiaire entre Dieu et la nature, rend la nature sacrée. Nous assistons à l'inverse: c'est la nature qui est sacrée et l'être humain doit se coller à elle pour accéder au sacré. Autrement, l'être humain ne fait que souiller la nature. Il devient alors comme un exilé de la nature: on peut faire de lui ce que bon nous semble puisque, chassé de la nature, il n'est plus rien. C'est le reproche que font certains philosophes français à la *Deep Ecology* à savoir qu'une option radicale pour l'environnement pourrait mener au fascisme écologique ou à l'anti-humanisme.

C'est devenu un truisme dans le milieu écologique de dire qu'il faut définir les voies nouvelles d'une spiritualité qui intègre l'environnement. Même les sceptiques les plus sévères cherchent des homologies, des voies de signification. Des athées qui ne croient ni à Dieu ni au diable se mettent à tenir des discours sur les sagesses anciennes et les voies spirituelles. Le mot spiritualité, autrefois très lié au mot religion, s'en détache progressivement, pour prendre un sens plus éthéré, moins relationnel, moins lié à des doctrines et à une conception précise de la vie. La spiritualité devient un horizon, une dimension du regard, une manière de concevoir les liens de l'univers, une autre façon de voir la réalité d'ensemble, visible et invisible. La spiritualité, c'est aussi, selon l'étymologie, avoir du souffle et donc transcender le quotidien pour acquérir un second souffle et, de ce fait, échapper aux limites trop courtes du temps et de l'espace actuels au profit d'un autre temps, d'un autre espace. L'esprit est la fine pointe de l'être humain, quand on distingue corps, âme et esprit.

Les recherches de voies spirituelles soucieuses d'une réconciliation avec l'environnement se poursuivent dans toutes les dimensions. Les lieux communs abondent: il faut relier le moderne et l'ancien, les savoirs ancestraux et les savoirs modernes, les visions du monde des «primitifs» et le meilleur de notre héritage, les sagesses amérindiennes et les sagesses orientales, le discours scientifique actuel et les mythes fondateurs des civilisations disparues. On y mêle la physique gnostique, le yin et le yang, les mythes platoniciens, les Upanishad, les récits bibliques, sans oublier le tao, maître Eckhart et Hildegarde de Bingen, le cerveau gauche et le cerveau droit et, bien sûr, le masculin et le féminin. On a l'impression d'un fourre-tout et d'une série de poncifs et de lieux communs. Ça dégouline de bonne volonté et de bons sentiments, d'écoute d'autrui, de respect.

Quand j'étais jeune, il y avait des prières partout. Quand l'incroyance a émergé, les prières ont cessé d'être imposées par respect pour les croyances de chacun. Il est paradoxal de voir maintenant, dans certaines rencontres internationales, de longs rituels d'appels aux esprits et aux forces de la terre, sans que s'élèvent des voix critiques. Dans ces cas-là, j'ai peur d'un dialogue à rabais, qui fait l'économie d'une critique réciproque. Par exemple, si le cléricalisme est dangereux dans l'Église — et nous savons par expérience à quel point il l'est — le chamanisme l'est aussi dans la société où il s'exerce. Je veux bien que la société tribale africaine procure à ses membres un sentiment profond de solidarité, ce qui a souvent un effet guérisseur aussi grand que le recours au psychiatre. Je ne puis m'empêcher d'observer que c'est cela même qu'ont voulu fuir les gens de ma culture quand ils ont délaissé le village «tricoté serré» pour la ville libre et anonyme.

Il n'y a ainsi aucune garantie que les visions d'hier puissent rendre compte des expériences d'aujourd'hui. Les chantiers ouverts pour la construction d'une spiritualité de l'environnement sont donc divers et pluriels et demanderont beaucoup de recherche et de partage interreligieux. Dialogue difficile s'il en est. Nous en sommes largement à l'étape de l'inventaire. C'est ainsi, par exemple, qu'on redécouvre la cohérence et la richesse des spiritualités amérindiennes, lesquelles semblent s'arrimer à un fond animiste. Pour l'animisme, il n'y a pas rupture entre l'être humain, l'animal et les plantes, mais plutôt continuité et correspondances symboliques. D'où l'importance des rituels pour assurer les réconciliations entre l'être humain et l'animal quand, par exemple, il faut chasser et pêcher, tuer et manger. De même il y a des homologies entre la terre et ceux qui y habitent, dans une trilogie toujours dangereuse de la terre, du sang et du groupe social. Les visions animistes sont chaleureuses et intégratives. Mais elles favorisent peu l'évolution et rendent difficilement compte de l'essor technique. Elles intègrent mal l'étranger.

«Lorsque nous avons été créés, une terre nous a été donnée pour y vivre, et depuis ce temps, tels ont été nos droits». (chef Waninock, McLuhan 1971: 21). Cette parole est magnifique et elle se situe dans une protestation des Indiens Yakimas contre le gouvernement américain. Elle traduit aussi une vision très intégrée entre la terre, un peuple et ses droits. La connaissance des migrations humaines, à travers la Béringie, dans le cas des Amérindiens, nous permet de voir les choses autrement. La relation à la terre ancestrale est en fait historique et culturelle, jamais simplement biologique ou divine.

C'est également vers des formes d'animisme que l'on se tourne quand on en appelle aux «religions orientales». Le terme est vague à souhait et semble viser principalement le taoïsme, la doctrine du Tao qu'on rattache à Lao-Tseu et qui tend à ramener toutes choses sous une même unité. Ici, la pluralité des êtres se fond dans un même tout et les dissemblances s'estompent progressivement. Mais la plus grande ferveur va au bouddhisme zen qui favorise la mise à distance du monde. L'idéal du sage est ici le nirvana, la négation de tout désir qui met fin à la série des réincarnations, lesquelles sont un immense malheur. Pour sortir du cycle infernal des naissances et des morts (vécu sous le signe de la fatalité: karma), pour arriver enfin au désir sans désir, à la plénitude du vide. On est ici dans une voie de purification et d'illumination qui, à l'état pur, conduirait à l'anti-société de consommation. On pense alors à l'amour de François pour Dame Pauvreté. C'est une situation d'impact minime sur l'environnement (sur l'ensemble de cette question voir Ganoczy 1995).

Au fond, chaque vision spirituelle essaie à la fois de nommer des choses et de définir une voie de sagesse qui permette à l'être humain de se comprendre et de rendre compte de sa vie dans le cosmos. En ce sens, les spiritualités présentent une vision de la demeure humaine. Nous convenons tous que la vision issue de l'athéisme techniciste post-chrétien mène à l'insignifiance et à la mort par la destruction du milieu écologique et la pratique de l'exclusion. Nous avons l'intuition que les visions animistes atténuent l'impact sur le milieu écologique, sans qu'elles soient bien capables de rendre compte de l'essor technique, de la vie urbaine, ni surtout de la lutte pour la justice, la doctrine du karma justifiant souvent l'inégalité sociale. J'ai pour ma part une plus grande familiarité avec la tradition chrétienne et ses reformulations dans la recherche actuelle. Je résume ces dernières en cinq aspects:

— la diversité dans une commune appartenance;
— l'intendance du monde;
— la nouvelle alliance;
— la médiation du corps;
— Dieu est en tout, tout est en Dieu.

La diversité dans une commune appartenance

Pour tout lecteur de la Bible, une chose frappe d'emblée: c'est le fait que Dieu ne se confond pas avec le monde. On pourrait en effet penser que Dieu est le monde, ou que le monde est Dieu. Dans la tradition spirituelle du Livre (qui donnera le judaïsme, le christianisme et l'Islam), Dieu est le Tout-autre et le monde n'est pas Dieu. Le monde est une création de Dieu, fruit de son amour, de sa gratuité et de sa liberté. D'où il s'ensuit aussi que le monde est bon. Aux conceptions panthéistes de son temps qui se représentent le monde comme peuplé de divinités fastes et néfastes pour l'homme, la Bible oppose l'idée d'un Dieu transcendant et créateur. D'où le refus des idoles et des représentations «naturalistes» de Dieu, sous la forme de statue, d'œuvre sculptée, d'animaux, d'arbres. Dieu ne peut pas être représenté. «Tu ne feras pas d'image». En réalité, il n'y a qu'une seule vraie image de Dieu: c'est l'être humain, le couple: «Dieu créa l'homme à son image, à l'image de Dieu il les créa, homme et femme il les créa» (*Genèse* 1, 27).

Le propre de la vision biblique consiste donc à poser d'abord la diversité. Dieu est le Tout-autre. Le monde est créé de la Parole de Dieu. Il est une œuvre divine distincte de Dieu. Mais la médiation entre Dieu et le monde s'opère par l'humanité qui, seule, est à l'image de Dieu. C'est pourquoi la création de l'être humain survient au sixième jour après toute l'œuvre de la création. Le second récit de la création dit que Dieu donne son souffle à l'être humain: «il insuffla dans ses narines une haleine de vie et l'homme devint un être vivant» (*Genèse* 2, 7). Nous avons donc une vision à trois étages: Dieu, l'être humain, la nature. La sacralité est en Dieu et advient à la nature par le moyen de l'être humain. Nous ne sommes pas ici devant une vision d'abord anthropocentrique mais d'abord théocentrique, centrée sur Dieu. C'est Dieu qui est la clé de voûte, le début et la fin. Bien sûr, si on enlève Dieu du décor, tout se déglingue et la domination de l'être humain devient alors tyrannique.

L'altérité de Dieu et la diversité de l'être humain et du monde sont par ailleurs inscrites dans l'idée d'une œuvre commune. Dieu est Dieu-pour-le-monde. C'est sa Parole qui fait surgir le monde et le maintient. L'être humain est être-humain-pour-Dieu-et-pour-le-monde. Le monde est monde-pour-Dieu-et-pour-l'être-humain. Il a sa propre consistance, son équilibre, ses propres règles, ses rythmes, ses harmonies. Mais il chante aussi la gloire de Dieu. Ainsi le monde est grâce et beauté. Il est générosité et bénédiction. Le monde se disloque quand l'être humain brise les relations entre Dieu et lui-même en s'appropriant l'arbre du bonheur pour ensuite affronter ses semblables. Alors apparaissent la résistance de la nature et son hostilité à l'œuvre humaine: «à la sueur de ton visage, tu mangeras ton pain» (*Genèse* 3,19).

Nous sommes ici, bien sûr, devant un récit mythique. Mais le mythe est intéressant à cause de sa complexité, laissant entrevoir des niveaux d'existence et des destinées différentes dans l'unité d'une même œuvre créationnelle. L'être humain surgit du cosmos. Il est fait de glaise (2ᵉ récit). Il arrive au sixième jour, le même jour que toutes les bêtes de la terre (bêtes sauvages, bestiaux et bestioles, *Genèse* 1, 24-25). Il est porté par la même Parole créatrice. Mais il représente en son être (en son âme, en son esprit) l'image de Dieu qui le fait échapper au cycle du cosmos.

L'intendance du monde

C'est dans son rapport à Dieu que l'être humain reçoit la tâche du monde. La bénédiction: «emplissez la terre et soumettez-la, dominez sur les poissons de la mer et les oiseaux du ciel et tous les animaux qui rampent sur la terre» (*Genèse* 1, 28) est certainement dangereuse lorsque sortie de son contexte. On doit la comprendre dans son contexte culturel où la technique humaine reste faible, où la menace de la nature demeure terrifiante dès l'instant où l'on quitte la ville ou le village. De plus, le contexte politique de la naissance du texte est celui de l'exil, d'un état de servitude en pays étranger. Bref, le contexte n'est guère triomphaliste. C'est pourquoi, quand nous relisons ces textes il faut les aborder autrement. Au lieu de parler de seigneurie et de domination, on parle maintenant d'intendance (*stewardship*), de gérance, faisant ainsi allusion au second récit de création: «Yahvé Dieu prit l'homme et l'établit dans le jardin d'Éden pour le cultiver et le garder» (*Genèse* 2, 15). Cultiver et garder. Cultiver ici renvoie à des pratiques agricoles, dans une compréhension végétarienne de l'être humain. Garder a le sens de surveiller pour un autre, sans être propriétaire soi-même. L'évangile fera écho à ces textes en parlant du serviteur que le maître trouve vigilant à son retour de voyage.

Dans ce contexte, exercer l'intendance du jardin du monde sous l'œil de Dieu, c'est conserver le monde et lui faire porter fruit. Ce n'est pas le détruire, ni le laisser dériver vers la mort. D'où la figure étonnante de Noé comme gardien du monde (*Genèse* 6, 5-8,22). Garder ce n'est pourtant pas s'abstenir d'intervention sur le monde. On pourrait ici définir une piste axiologique. Ce qui détruit la nature, l'appauvrit, la pollue, la dégrade, trahit l'intendance ou gérance. Ce qui féconde la nature, l'embellit, l'accomplit, la diversifie, lui fait porter ses fruits, cela serait intendance royale. Nous retrouvons ici l'écho de la pensée d'Aldo Leopold: «une chose est bonne quand elle tend à préserver l'intégrité, la stabilité et la beauté de la communauté biotique. Elle est mauvaise quand elle fait le contraire» (Leopold 1966: 262). Il s'agit évidemment d'une vision surréaliste puisque à certains niveaux de développement, il y a conflit entre les besoins humains et la conservation-intendance du milieu naturel. La vision spirituelle ne permet pas ici de déboucher sur une éthique opérationnelle. Nous sommes dans l'ordre des figures généreuses mais imprécises.

La nouvelle alliance

On peut poursuivre la symbolique en avançant l'idée d'une nouvelle alliance ou d'un nouveau contrat avec la terre. L'axe fondamental de la représentation spirituelle du Dieu de la Bible est celle d'Alliance, ou de contrat, ou de testament. Dieu fait alliance avec son peuple et, en retour, le peuple fait alliance avec Lui. La Loi sera le signe de cette alliance. On voit ici l'émergence de symboliques nettement personnalistes qui tranchent avec la négation du langage des mystiques orientales. Dieu se présente comme quelqu'un (père, mère, ami, juge, guerrier, etc.). En retour, le peuple se tient comme une seule personne (en Abraham, ou Moïse) et accepte l'alliance de salut offerte par Dieu, un salut tout à la fois historique (un fils pour Abraham, une délivrance politique pour Moïse) et transhistorique, ouvert sur l'avenir de Dieu.

Toujours, l'alliance est entre «sujets pensants» et toujours limitée à Israël, même si certaines harmoniques sont universelles. Or il existe une exception notoire: c'est l'alliance avec Noé. «J'établis mon alliance avec vous et avec vos descendants après vous, et avec tous les êtres animés qui sont avec vous: oiseaux, bestiaux, toutes les bêtes sauvages avec vous, bref tout ce qui est sorti de l'arche, tous les animaux de la terre» (*Genèse* 9, 9-10). Si Dieu fait ainsi alliance avec la création dans son aspect le plus humble, il n'y a pas d'objection à ce que l'humanité fasse de même, elle qui porte la responsabilité de la rupture et de la déchirure.

On est en présence d'une symbolique très riche à la condition de ne pas perdre de vue la dimension métaphorique du langage. Dans ce contexte, la terre est de plus en plus présentée comme une super-personne qui souffre de la violence humaine. James E. Lovelock a lancé l'hypothèse de la terre comme d'un organisme vivant. Il lui a donné le nom de Gaïa, du nom de la déesse grecque de la Terre dont la trace subsiste encore dans la racine des mots géographie et géologie. Gaïa, la Terre, devient alors une victime blessée qui revendique contre l'humanité. On retrouve ici une partie de langage animiste et symbolique du discours amérindien. Ce discours est particulièrement pathétique car il s'inscrit, au XIXe siècle, dans l'expérience de la souffrance et de l'expulsion. «Vous me demandez de labourer la terre. Dois-je prendre un couteau et déchirer le sein de mère? Mais, quand je mourrai, qui me prendra dans son sein pour reposer?» (McLuhan 1971: 70). Gaïa est également perçue comme un être autonome, douée de sa propre volonté et, dirait-on, de son propre projet au point qu'elle pourrait cheminer sans nous si nous rompons le contrat d'origine.

À qui donc appartient la terre? Nous aurions tendance à dire qu'elle nous appartient. La *Deep Ecology* dirait que la terre s'appartient à elle-même, qu'elle a sa propre valeur intrinsèque. On pourrait aussi dire qu'elle appartient à Dieu. «La terre ne sera pas vendue avec perte de tout droit, car la terre m'appartient et vous n'êtes pour moi que des étrangers et des hôtes» (*Lévitique* 25, 23). L'homme blanc «traite sa mère la terre et son frère le ciel comme des choses qui s'achètent et se vendent. Son appétit dominera la terre et ne laissera derrière lui qu'un désert» (chef Seattle au président Pearce en 1854). Ce texte est intéressant puisqu'on y voit un amérindien enseigner à un chrétien une donnée fondamentale de son propre héritage religieux: la terre ne s'achète ni ne se vend. Ce qui montre bien que les héritages se font et se défont dans la tradition de la seule lettre. La terre est un héritage commun. Elle est prêtée plus que cédée: elle est du ressort de Dieu ou de la communauté humaine. Chez les Amérindiens, c'est toujours la communauté historique. La terre dit: «C'est le Grand Esprit qui m'a placée ici. Le Grand Esprit me demande de prendre soin des Indiens, de bien les nourrir. Le Grand Esprit a chargé les racines de nourrir les Indiens.» L'eau dit la même chose: « Le Grand Esprit me dirige. Nourris bien les Indiens.» La terre, l'eau et l'herbe disent: «Le Grand Esprit nous a donné nos noms.» La terre dit: «Le Grand Esprit m'a placée ici pour produire tout ce qui pousse sur moi, arbres et fruits.» De même la terre dit: «C'est de moi que l'homme a été fait.» Le Grand Esprit, en plaçant les hommes sur terre, a voulu qu'ils en prissent bien soin et qu'ils ne se fissent point de tort l'un à l'autre... (Young Chief, des Cayuses en 1855. cf McLuhan 1971: 20).

On peut, en un sens et d'une façon métaphorique dire qu'il y avait un contrat ancien entre la terre et les humains qui l'habitent. Un contrat fait de révérence, de tendresse, de commune appartenance. La terre nourrit, protège, supporte. En retour, les humains, variablement selon les cultures et l'univers symbolique qu'ils ont élaborés, conviennent de respecter la terre, d'en comprendre les fragilités et les ressources, d'en imaginer les dynamismes et les défaillances. Ce pacte a été rompu par l'âge industriel.

Pour survivre, il faut à l'humanité un pacte nouveau, un pacte qui réconcilierait la terre et l'humanité pour un nouvel âge de paix et d'harmonie. Faussement maître du monde, l'être humain doit désormais chercher à maîtriser sa maîtrise (Serres 1990: 61). Le nouveau contrat qui se présente passe donc à la fois par la terre et par autrui. Le mouvement œcuménique a créé une belle expression: paix, justice et gérance de la création. La paix et la justice s'inscrivent dans les conduites intra-humaines. La gérance de la création exige la maîtrise de la maîtrise comme l'évoquait Michel Serres en faisant allusion à Platon. Paix, justice et gérance ne peuvent s'instaurer que dans un ordre nouveau, un pacte loyal à établir avec la terre et les humains. Ici la symbolique religieuse joue à plein puisque Dieu est ici le tiers convoqué par autrui et par la terre. Précarité et force du langage symbolique. Même pour un incroyant, au simple niveau de la vision spirituelle, penser son rapport à la terre comme une alliance bilatérale, c'est inverser la relation de pure objectivité, de pure extériorité technique au profit d'une compréhension auto-implicative de soi. Le contrat à établir m'implique moi-même et m'oblige à transformer mes gestes et ma manière de faire. Celui qui donne sa parole, qui passe un contrat n'a plus désormais la même vision.

La médiation du corps

Notre relation au cosmos se fait par le moyen de notre corps. Selon les données actuelles de la science, nous pouvons dire au cosmos: «tu m'as préparé un corps, me voici». La théorie la plus courante de l'interprétation du cosmos est celle du big-bang. À l'origine du monde, il y a plus ou moins 15 milliards d'années , il y aurait eu une explosion gigantesque d'une masse d'énergie pure. En se dilatant sous le souffle de l'explosion, cette masse engendre à la fois l'espace et le temps. La planète qui nous porte, la Terre, gravitant autour du Soleil dans la galaxie de la Voie lactée, aurait environ 4,5 milliards d'années. On pense qu'un milliard d'années plus tard apparaissent les premières cellules vivantes, des bactéries qui se reproduisent en se scindant. Commence alors l'histoire de la vie qui va se développant et se complexifiant au fur et à mesure de sa progression dans le temps. Les savants pensent que c'est à partir de ces premières cellules vivantes que dérivent toutes les formes actuelles de vie, à travers des combinaisons d'une extrême complexité où jouent les lois du hasard et du grand nombre dans la variété des climats et des circonstances favorables ou défavorables à la vie.

La théorie estime que les informations ne se perdent pas: elles se fixent et se transmettent. La vie improviserait au hasard, comme un musicien de jazz à son piano, explorant en tous sens. On peut penser encore aux vagues de la marée montante, chacune menant plus loin la poussée de la mer sur le rivage. À un moment donné la vie à bifurqué: une vague a pris le chemin de la stabilité et de l'enracinement au même endroit, c'est la solution végétale; l'autre a pris la solution de la mobilité obligeant donc à développer l'organisation interne, c'est la solution animale. La vie animale a commencé dans l'eau, puis a rampé sur le sol. Elle a pris le chemin des airs, a colonisé la terre. Des systèmes se mettent en place: système nerveux, système sanguin. Des organes se développent: l'œil, l'ouïe, l'odorat. Les membres se spécialisent selon les occasions et les opportunités. Chaque fois qu'il y a une ressource disponible non exploitée (l'écologie dit une niche), des espèces animales et végétales trouvent la solution adaptative et s'y installent.

C'est ainsi qu'en se relayant l'information essentielle le vivant engendre le vivant: des espèces anciennes aux espèces actuelles l'information se transmet et se spécialise petit à petit. Nous les humains, nous mangeons et digérons. La digestion se fait toute seule, mais cela a été le fruit d'un très long apprentissage que la nature a mis au point il y a peut-être trois cent millions d'années dans des espèces qui, peut-être, n'existent plus aujourd'hui. De même pour la respiration qui se fait toute seule, même quand nous dormons. La lignée des mammifères n'est apparue qu'il y a 60 millions d'années: sans abandonner les informations essentielles des étapes antérieures, elle pousse plus loin certaines possibilités: chaque lignée, chaque feuillet les explore. Les ruminants par exemple développent un système complexe d'estomacs (panse, bonnet, feuillet, caillette), qui permet de digérer adéquatement la verdure. Le guépard qui est un carnivore aura dû développer une stupéfiante capacité de sprinter pour capturer ses proies.

Les savants discutent pour savoir si l'espèce humaine (*Homo Sapiens Sapiens*) est comme l'achèvement de l'évolution, s'il y a dans la nature comme un principe anthropique. Pour notre propos actuel, cela importe peu. Le corps humain est un corps relativement peu spécialisé, sauf pour le cerveau. Mais il est certain que les informations contenues dans notre code génétique sont le résultat d'une recherche de la vie s'échelonnant sur environ trois milliards et demi d'années. Chacune de nos cellules se souvient, en ce sens, du premier matin du monde. Chacune a gardé mémoire des recherches infinies de la vie pour construire la vie. Chaque cellule résume à sa manière l'histoire du monde. Souvenir cosmique et non personnel bien sûr, souvenir enfoui dans la mémoire biologique, qui n'est pas de l'ordre de la conscience psychologique. Je pense que chacune de nos cellules garde un souvenir de l'eau primordiale où la vie a surgi la première fois, de la première bifurcation où le végétal et l'animal ont pris chacun leur route, du premier vivant qui a affronté l'oxygène, ce poison autrefois mortel pour les vivants adaptés à un système anaérobie, etc. L'eau d'origine, elle est toujours là bien sûr dans le ventre de la mère: on dit les grandes eaux. Que l'on parle de la terre, du vent, de l'air, de la chaleur ou du froid, de la plante ou de l'animal, notre corps porte la trace de tout l'écosystème terre où nous prenons naissance. Notre lien à la communauté de vie qui fait la biosphère, c'est notre corps.

En ce sens, notre corps est un dedans et un dehors. Il est notre dehors, ce par quoi nous nous manifestons au monde et aux autres. Mais il est aussi notre dedans, le réseau interne dans lequel nous saisissons le monde qui nous entoure et en comprenons l'extraordinaire complexité.

Ainsi notre existence corporelle fonde et illustre la plasticité du symbole. Une spiritualité qui n'assume pas la réalité corporelle et sa dimension symbolique me semble, à cet égard, incapable de saisir la profondeur de l'environnement. Or j'ai l'impression que notre époque est assez pauvre du côté de l'expérience corporelle. Affirmation qui doit surprendre puisque, à première vue, notre époque se caractérise par le culte des valeurs matérielles. L'avoir ne tient-il pas lieu d'être, partout? Faut-il évoquer la libération sexuelle qui semble bien abolir les tabous et donner libre champ au corps. Je suis plutôt porté à penser que le corps est à la dérive, en perte de sens plus qu'en surcroît de sens.

Je m'explique. Il est évident que, actuellement, le corps obsède. Il suffit de penser à l'exhibition du corps, au succès des soins du corps, à l'expansion des parfums et de l'esthétique, à l'importance accordée aux soins du corps et à l'écoute de soi et de son corps. Mais cette recherche même me semble suspecte dans la mesure où le corps a perdu ses médiations coutumières dans l'univers cosmique quotidien. Le corps est coupé de l'eau et de l'air, du vent et de l'arbre. Il est confiné dans un monde factice qui n'est pas le monde de la corporéité de la nature: emmuré dans l'auto ou au bureau, dans un univers factice éclairé à l'électricité, le corps perd sa mémoire cosmique. Il est aliéné de ses dimensions d'origine. Il vit par procuration.

Plus encore, le corps est devenu l'objet de manipulation par excellence. On pourrait parodier Descartes en affirmant que nous sommes devenus comme «maîtres et possesseurs du corps». Au lieu d'habiter et d'assumer notre corps réel, nous nous acharnons à nous composer le corps idéal exigé par autrui, dicté par la mode, par l'image du corps véhiculée dans la culture. Je ne porte plus mon propre corps, mais le corps idéalisé selon les attentes de la société commerçante. Le corps se dissout dans le paraître: interventions chirurgicales et esthétiques, cures et diètes, soins multiples. Ce n'est plus le corps expression heureuse de soi, mais le corps imposé, objectivé par la société extérieure.

Le corps devient hyperperformant grâce à l'entraînement et à des diètes hautement spécialisées. On se rappelle

Nadia Comaneci, la jeune gymnaste roumaine des Jeux Olympiques de 1976, dont on avait retardé l'adolescence pour lui permettre de performer. J'ai vu des hommes de trente ans se faire vasectomiser. On sait les histoires d'horreur sur le dopage des athlètes. Le corps réel cède la place au corps construit et imposé par autrui.

Si le corps n'est plus la nature en soi-même, peut-on vraiment trouver la nature au-dehors? Peut-on l'admirer, la vénérer, établir avec elle une alliance? Que faire si le corps apparemment adulé, chéri, soigné, vénéré est en réalité réduit à un objet technique? Je ne récuse pas a priori toute intervention technique, mais j'ai peur qu'on dissocie trop le corps comme matériau d'intervention (le corps extérieur, pourrait-on dire) et le corps comme expression et habitacle du soi, à la fois lourd et lumineux, ce corps que je suis et qui émerge dans le regard, le sourire, la danse, dans cette chose si rare qu'on appelle le bonheur. «On la croyait jolie et voici qu'elle est belle pour un pauvre garçon presqu'aussi jeune qu'elle» (Moustaki).

Les spiritualités en ce domaine ont souvent mauvaise presse, car elles dualisent souvent le rapport du corps et de l'esprit. Chez Platon, le corps est une enveloppe, presque une ombre. Tout une partie du christianisme a suivi Augustin dans le mépris du corps charnel et dans la peur du sexe. Une grande partie du bouddhisme fait de même: «l'existence terrestre, où l'on s'élance sans cesse vers le but final qui est l'extinction de tous les désirs, perd alors toute valeur propre» (Ganoczy 1995: 143). En réalité, le corps n'est pas l'enveloppe ou le prétexte de l'expérience: il est le lieu de l'expérience. Et c'est à travers la saisie de l'expérience corporelle que l'esprit advient au monde et se comprend dans la solidarité des choses (Beauchamp 1995a: 161-211).

Le corps humain est le monde en petit, un micro-
cosme. Chaque corps reprend et poursuit l'inlassable histoire de la nature. Chaque cellule garde le souvenir des
incessants tâtonnements de la nature à la recherche des
solutions adéquates, à cette lente percée vers la lumière,
que Teilhard de Chardin appelait la loi de la complexité-
conscience. Construire un dedans à partir de ce qui ne
semble qu'un dehors. Mais en assumant son corps, chacun,
chacune assume une part du destin cosmique. D'où l'importance de parler le corps, de le transcender, de le faire
émerger de la matérialité opaque vers la lumière.

Dieu est en tout, tout est en Dieu

Nous ne pouvons avoir de vénération et de révérence
envers la Nature si nous la saisissons dans une expérience
seulement utilitaire. Il y a certes ces réalités fonctionnelles
qu'on appelle la connaissance objective et minutieuse de la
nature, la technique, l'usage courant des biens de la nature.
Il faut boire et manger, communiquer, se vêtir, se chauffer
et fêter, ces mille usages qui font la bonne vie humaine.
Mais il nous faut dépasser ce regard et entrevoir la nature
comme mystère. Un mystère qui nous précède, nous
enveloppe et nous dépasse. Un mystère en harmonie avec
notre corps, un mystère dont notre corps porte le rythme
chaque fois que le cœur propulse le sang dans les artères.
Plus riche que chacune de ses parties et que le total de leur
addition, la Nature se dresse devant nous comme une réalité autre, plus grande que nous, plus belle que nous
(importance extrême du thème de l'esthétique), plus forte
que nous. La Nature apparaît alors imbibée nimbée de
divin.

Après un long purgatoire, la nature redevient donc, en
partie, sacrée. D'où le succès des formules carrément

païennes ou panthéistes: la Terre-Mère, Gaïa, la Terre vénérée, etc. Certains parlent même de la Terre comme du corps de Dieu. Les accents varient selon que l'on parle poétiquement, métaphoriquement ou que l'on prétend parler rigoureusement. Le panthéisme est de retour, par exemple dans le Nouvel Âge, un panthéisme englobant, diffus, tout se fondant dans une même unité indistincte. J'avoue que j'ai des réticences à cela. D'une part, je ne m'ennuie pas de ma mère, et, d'autre part, si je conçois que la Nature est indiscutablement nourrissante et féconde au point que je puis dire que je suis né en elle et que je dormirai en son sein quand j'aurai terminé ma course, je sais aussi qu'elle est impersonnelle et implacable. La Nature d'elle-même prend un enfant sur deux en bas âge. J'aime beaucoup Hydro-Québec et ses barrages ou mes vieilles bûches d'érable quand il fait -35 °C à la pleine lune de janvier. Je ne me fais pas d'illusion: je survis en apprenant à me battre contre la nature, dans un corps à corps difficile. Les grandes victoires médicales ont été celles de l'hygiène. La lutte contre les maladies et pour la santé se déroule sur deux plans: protéger le corps contre l'ennemi du dehors (microbe, virus, etc.); assumer le corps du dedans par une intégration de l'unité de la personne, corps et esprit (Beauchamp 1995a: 191-198).

Ma culture profonde me fait résister aux mystiques de fusion et insister sur les distinctions entre la nature, la personne humaine et Dieu. Je partage la critique biblique des idoles, ces dieux faits de main d'homme, qu'il s'agisse de l'argent, de la gloire, ou du veau d'or. Mais une fois inscrite cette distance qui permet de fonder la sécularité, il est essentiel de retrouver l'élan mystique du sentiment de la plénitude. «Toute la création jusqu'à ce jour gémit en travail d'enfantement» (*Romains* 8, 22). En un sens, il y a une continuité entre l'expérience spirituelle de l'humanité et l'énergie qui sous-tend l'évolution de la planète. Il y a coévolution. Dans la tradition chrétienne, l'unité se fonde sur la Parole. C'est la même Parole créatrice qui fait surgir la lumière et les mondes, qui sépare les eaux d'en-bas des eaux d'en-haut, qui fait apparaître les monstres marins et l'herbe des champs. Cette nature garde le vestige de Dieu. Elle n'est pas Dieu. Elle est créature. Créature pourtant, elle porte la trace de Dieu et en chante la gloire: «les cieux racontent la gloire de Dieu, et l'œuvre de ses mains, le firmament l'annonce; le jour au jour en publie le récit et la nuit à la nuit transmet la connaissance» (*Psaume* 19, 2-3).

Ainsi nous devenons plus sensibles à l'immanence de Dieu. La spiritualité des derniers siècles a davantage insisté sur la transcendance de Dieu tout en cultivant une représentation personnaliste de Dieu. Le dialogue mystique s'exprime alors dans le vocabulaire de l'amour et de la tendresse, dans un langage relationnel du type Je-Tu. Mais cette dimension n'exprime pas toute l'expérience mystique. Car il est aussi vrai de dire que nous savons davantage ce que Dieu n'est pas que ce qu'il est.

> Ô toi, l'au-delà de tout,
> n'est-ce pas tout ce qu'on peut chanter de toi?
> Quel hymne te dira, quel langage?...
> Seul tu es indicible,
> car tout ce qui se dit est sorti de toi.

On attribue ce poème à Grégoire de Nazianze. Belle expression de théologie négative, qu'on appelle aussi apophatique, qui fait penser à l'expérience bouddhique de la négation du langage. Il s'agit alors de percevoir la présence divine dans la déroute de l'esprit.

Si le mystique avancé cherche Dieu dans la déroute du langage, voie du dépouillement extrême (*todo y nada*: tout est rien, dit Jean de la Croix), un autre versant ira dans le sens d'une découverte de l'immanence de Dieu. Dieu n'a plus de nom propre, mais il a tous les noms. Alors, son image semble à la fois se dissoudre et se répandre à l'infini. Dieu devient présence, énergie, lumière. Il est comme la substance du monde, ou mieux sa réalité réelle. Cela nous renvoie à des représentations de la création comme action permanente et gratuite de Dieu, question toujours fort débattue.

En régime chrétien, on parle alors de panenthéisme, du grec *pan-en-theos*: tout est en Dieu. Tout ce qui existe porte la trace de Dieu et baigne en lui; en s'ouvrant à la totalité des choses, l'esprit humain se met en état de percevoir la présence divine. Ainsi, ce que l'image de Dieu perd en précision, elle le gagne en diffusion. Il y a bien sûr risque de confusions, comme par exemple de confondre le sexe et la violence avec le divin. Les adeptes du retour au paganisme occultent souvent cette dimension dangereuse de la violence divinisée. Il n'en reste pas moins que la tendance panenthéiste tend à suggérer une réconciliation entre l'expérience mystique intérieure et l'expérience de Dieu dans l'appréhension de la réalité cosmique. À la limite, nul langage n'est tout à fait pur, ni tout à fait sûr pour dire Dieu. L'avantage d'une vision spirituelle qui intègre les symboliques de la nature et de la créature, c'est d'amorcer une réconciliation et une réinsertion des humains dans la nature. Mystique d'inclusion. En ce sens, la création baigne dans une bénédiction originelle, dans une harmonie primordiale qui est divine et qui annonce, au-delà des vicissitudes de l'évolution et du mal, une possible réconciliation finale. Teilhard de Chardin nommait point oméga ce foyer d'attraction qui aspire le monde présent vers son accomplissement.

Dans sa vision des choses, le milieu écologique élabore souvent une symbolique de la chute et de la catastrophe. Le monde s'en va à la ruine. Une vision spirituelle peut dépasser ce pessimisme eschatologique en permettant de découvrir la beauté du monde, d'en comprendre le caractère divin et béni, d'en saisir la dimension créationnelle. En assumant son corps comme l'œuvre achevée de la nature et comme promesse de l'Esprit, l'être humain peut dépasser les contradictions actuelles et s'inscrire dans une œuvre de réconciliation. Les visions spirituelles suggèrent ici une mystique et un parcours. Mais cela ne peut advenir que si la mystique fait surgir une éthique: éthique de la paix, de la justice et de la gestion responsable.

6

DE LA PLACE DES HUMAINS SUR TERRE

*L*a question que pose la crise écologique est celle du rapport des êtres humains à la terre qui les abrite. Il s'agit d'une question d'abord philosophique, que l'on peut aussi aborder d'une manière religieuse. Pour ma part, je procéderai par une approche descriptive en disant simplement que ce qui caractérise les êtres humains c'est la culture, mais que cette manière originale pour l'espèce humaine de se situer dans le monde pose des défis considérables. Pour illustrer mon propos, j'avance donc d'abord deux idées apparemment contradictoires:

— l'être humain est un animal comme les autres;
— l'être humain n'est pas un animal comme les autres.

Un animal comme les autres

Que l'être humain soit un animal, nul n'en doute. Nous naissons, grandissons, vieillissons et mourons. Nous sommes des êtres biologiques. Nos organes ressemblent à ceux des autres animaux: le cœur, le foie, la rate, les poumons. Ouvrir un cochon, c'est prendre un bon cours d'anatomie humaine. Les os, les dents, les muscles du corps humain sont le fruit d'un bricolage de la nature au cours des siècles. Le classement des biologistes en ordres, familles, genres, espèces, races, permet de situer les grandes étapes de l'évolution à travers laquelle la nature nous a donné un corps. Nous sommes un rameau du vivant. D'ailleurs toute l'ingénierie génétique en voie d'expansion consiste à appliquer aux humains des découvertes et expériences antérieurement tentées chez les animaux. Et ça marche! Indubitablement de la racine des cheveux aux ongles des orteils, nous sommes des animaux. C'est pourquoi d'ailleurs l'animal est notre reflet, notre double, notre frère dans l'écosystème. Comme les autres animaux, dans le milieu écologique, nous sommes à la fois prédateurs et proies. Nous établissons des relations de commensalité, de compétition et de collaboration avec les espèces avoisinantes. Et nous sommes éventuellement parasités par d'autres animaux, par exemple les poux ou le ver solitaire.

Dans l'évolution biologique, nous arrivons tard. On pense que la lignée *Homo* a émergé il y a plus de trois millions d'années. Nous ne descendons pas du singe, mais eux et nous avons des ancêtres communs. Les théories scientifiques veulent qu'à un moment donné nos ancêtres aient bifurqué dans une voie spéciale, qu'ils se soient engagés sur le chemin de l'humanisation pour devenir une espèce à part. Dans la nature, un sous-groupe d'une espèce donnée, isolé de la souche-mère, développe, par sélection et par mutation, des traits spécifiques qui s'inscrivent dans le code génétique et se transmettent à ses descendants. Il y a spéciation, ou apparition d'une espèce nouvelle, quand ces traits sont nettement distincts et que le groupe nouveau cesse d'être fécond lorsque mêlé au groupe d'origine. Parfois le bouclage n'est pas complet et il y a interfécondation sans que le rejeton soit lui-même fécond. Par exemple, la mule, ou le mulet, est le fruit d'un croisement d'un âne et d'une jument. L'hybride, plus rare, d'un étalon et d'une ânesse, est un bardot. Mais les mulets et les mules ne sont pas féconds entre eux. On pense donc que l'âne et le cheval ont des ancêtres communs, quoique chaque groupe ait évolué de manières différentes pour donner deux espèces distinctes. De même pour le croisement d'une lionne et d'un tigre, tigron ou tiglon, qui laisse supposer un ancêtre commun au lion et au tigre.

L'être humain est arrivé très tard dans l'évolution, tirant ainsi profit des recherches de la nature. S'agit-il d'un simple hasard, ou y a-t-il téléfinalité dans ce cheminement? Certains physiciens parlent d'un principe anthropique qui semble donner un sens à l'évolution depuis le big-bang jusqu'à l'apparition de l'espèce humaine. D'autres parlent de simple jeu du hasard et des grands nombres. Mais les uns comme les autres semblent admettre que l'être humain a tiré profit des découvertes et acquisitions antérieures de la vie.

Un animal différent des autres

Chaque espèce qui apparaît développe son corps d'une certaine manière en fonction de sa survie selon les ressources de son milieu ou de sa niche écologique. Il peut s'agir de s'approprier une nourriture disponible, ou de mettre au point une stratégie pour éviter un prédateur. Je pense au cou énorme des girafes qui leur permettent de manger les feuilles des arbres, ou à ces papillons de nuit dont les couleurs imitent la figure du hibou, ou aux zèbres dont la robe à rayures servirait à confondre la mouche tsé-tsé (sur ce point il y a controverse). La nature est à cet égard un livre fascinant.

Qu'est-ce qui a déclenché chez nos ancêtres le processus qui a conduit de la lignée *Homo* à *Homo Sapiens Sapiens*? On ne le saura probablement jamais tout à fait, mais on suggère quatre facteurs:

— la marche au sol: par la suite d'une modification
écologique du milieu, nos lointains ancêtres quittent
les arbres et vivent dans la savane; cette situation
nouvelle provoque la station debout;

— la main préhensible: l'opposition du pouce aux autres
doigts permet à la main de prendre et au corps de se
prolonger dans un instrument, inaugurant une percée
vers la technique;

— la vie en groupe: pour survivre dans un milieu très
dangereux, notre ancêtre doit développer des straté-
gies collectives; des modifications à la gorge et à la
glotte permettent l'émergence de sons articulés qui
mèneront à la parole;

— la cérébralisation: nos lointains ancêtres ont un vo-
lume cérébral d'environ 400 cm^3. En trois millions
d'années, la masse cérébrale passe à 1 350 cm^3. Au
lieu de développer ses dents, sa fourrure ou ses muscles, l'espèce humaine développe le cerveau. La station debout y contribue grandement puisque le
redressement du corps libère la musculature du cou
et de la tête et permet donc un développement de la
boîte crânienne. Mais une adaptation biologique permet au bébé de naître avant son plein développement
crânien, assurant ainsi la survie de la mère.

Nous voici donc en présence d'une série d'adaptations
biologiques relativement modestes mais dont le résultat
cumulatif est important. Alors que les espèces animales
sont, en un sens, captives de leurs mutations corporelles,
l'espèce humaine en développant la cérébralité, le langage
et la pensée devient capable d'adaptations complémen-

taires qui n'exigent plus une modification physiologique du corps. Le corps humain demeure jeune et peu spécialisé (cf Ruffié 1983 et Lewin 1991).

L'être humain passe ainsi d'un état de nature à un état de culture. Son adaptation à un nouvel environnement ne se fera plus par des modifications physiques et biologiques, mais par des modifications culturelles: langage, techniques, mémoire, innovations. C'est comme si l'être humain échappait aux contraintes de la biologie pour devenir, par sa pensée, maître de son destin. Tous ces phénomènes ne sont pas entièrement neufs. Les loups par exemple savent bien chasser ensemble. Les animaux ont en général des formes élémentaires de langage: des cris d'appel, d'alerte, de tendresse. Plus on avance dans la lignée des mammifères, moins grande est la part de l'inné (du génétique pur) et plus les apprentissages sont importants. Il faut voir une chatte élever ses petits. Divers singes savent utiliser des bâtons pour cueillir des fourmis. Il y a ainsi chez les animaux ce qu'on peut appeler une protoculture. Mais rien de l'ampleur de ce qui se passe chez les humains.

C'est comme si la culture humaine prenait le relais de la nature, comme si la poussée de l'évolution avait découvert un mode supérieur de réalisation et qu'en conséquence l'évolution s'était arrêtée en tant que processus purement biologique. En effet, si l'évolution biologique s'était continuée chez l'être humain, nous aurions dû aboutir à plusieurs espèces humaines, ce qu'ont pensé certains disciples de Darwin quand ils ont voulu expliquer les différences entre certains groupes humains, notamment entres les blancs et les noirs. Or aujourd'hui, on constate que non seulement il y a une seule espèce humaine mais que même le concept biologique de race (qu'on applique aux chiens, par exemple) ne s'applique pas aux humains. Au plan biologique, il n'y a qu'une race humaine. Sur la trentaine d'indicateurs de la notion de race en biologie, à peine quelques-uns peuvent s'appliquer aux humains. Les humains n'ont pas poursuivi sur la route de la diversification biologique, sauf des adaptations mineures probablement liées au climat ou à des maladies.

C'est par la culture que les humains se sont diversifiés, par la multiplication des langues, des mythes, des religions, des civilisations. La culture a relayé la biologie. En un sens, chaque groupe humain définit son territoire et précise sa manière d'être au monde par des modes de pensée et d'agir. Ce faisant, la culture fait surgir, dans la nature, une nature seconde qui réinterprète, au sein de la réalité humaine, le donné proprement biologique. Nous assumons la nature en la faisant advenir dans la culture. Et c'est pourquoi nous pouvons parler de coévolution de la nature (au sens du milieu naturel) et de l'humanité. En ce sens, les Amérindiens ne sont pas plus proches de la nature que les Blancs d'Amérique. Ils ont simplement une culture plus inclusive, avec ses richesses et ses limites.

Continuités et ruptures instauratrices de l'humanité

Ce passage de la nature à la culture qui caractérise l'humanité inscrit donc à la fois des continuités et des ruptures dans le milieu écologique. Et c'est ce qui fait que, d'une part, l'être humain soit si difficile à cerner et ce qui explique, d'autre part, l'émergence de la crise écologique.

Nous avons évoqué les continuités. Nous demeurons des êtres biologiques, des animaux. Nous ne saurions fuir entièrement ce terreau premier qui nous constitue.

Chercher à le nier serait la ruine: qui veut faire l'ange fait la bête. Il est donc normal d'évoquer nos résonances profondes, nos complicités avec le milieu écologique. Il y a de la plante en nous. Les animaux sont, selon la belle expression de Buffon, nos frères inférieurs. L'élargissement de l'éthique à nos conduites envers les animaux, à l'évitement non seulement de la violence mais aussi de la souffrance inutile, est donc normale, voire essentielle, maintenant.

Par ailleurs, les discontinuités d'avec le monde naturel sont certaines. Aristote disait de l'homme qu'il est un animal qui parle. L'homme est un animal hautement symbolique qui recrée dans la parole l'univers vécu. D'où l'importance du mythe et du récit. D'où l'importance aussi de la mémoire qui s'additionne de génération en génération, qui se fixe dans des savoirs transmis, dans des œuvres de science et de culture. Nos bibliothèques sont notre mémoire matérialisée, figée, objectivée, comme un héritage qu'on se transmet et qui fait que, malgré les siècles et les langues, nous comprenons Platon ou Lao Tseu et pouvons partager certaines de leurs valeurs.

En ce sens, de la nature symbolisée par le milieu écologique à l'être humain, il y a rupture certaine. L'avènement de l'esprit humain fait changer de registre. Nous entrons dans le monde de la liberté, de l'esprit, de la spiritualité. L'émergence de l'homme ressemble à un arrachement, à un décollage, à l'entrée à un niveau supérieur de l'être, comme si l'espèce humaine ne pouvait plus s'enfermer toute entière dans l'animalité et transcendait cet ordre. Faut-il parler d'une simple différence de degré, ou d'une différence plus fondamentale, plus substantielle? La réponse à cela est souvent de l'ordre de la croyance. Tout se passe comme si tout l'être humain s'expliquait par l'animal. Mais quand on a tout expliqué des mécanismes physiologiques voire psychiques, quelque chose s'évade encore qui est l'inexpliqué éclairant le reste. Aristote distinguait trois âmes (psychés): l'âme végétale, l'âme animale, l'âme humaine. Même quand on ne voit chez l'être humain qu'une différence de degré, une illusion passagère (l'intelligence serait alors un cadeau empoisonné qui se retournera contre nous), l'être humain n'en jette pas moins à la face du monde la trace de son génie. Qu'est-ce que la beauté d'une œuvre de Mozart s'il n'est d'oreille pour l'entendre?

L'homme, cet animal, brise indubitablement le cercle de la nature. Il s'arrache à la nature, s'oppose à elle, la décode, la transforme, la modifie. La vision biblique traduit cet émerveillement devant la liberté et la grandeur humaines: emplissez la terre, soumettez-la. L'être humain regarde la terre sous l'angle du projet. Même quand il s'insère de la manière la plus respectueuse, il le fait toujours à sa manière: par la science, le récit, la ruse. Il le fait en pensant le monde.

Les quatre figures pour penser notre rapport à la nature

Il faut affirmer contre certaines conceptions naïves qu'il n'y a pas d'insertion simple et directe de l'être humain dans le monde. Le rapport à la nature est toujours médiatisé par la représentation construite de la nature dans la culture. Les humains ne font pas simplement que vivre: ils vivent en regardant le ciel, en s'orientant sur les points cardinaux, en nommant les dangers et les chances, les plantes et les animaux, en fêtant certains événements, en souffrant et mourant, en donnant un sens à leur vie. Naître, vieillir, mourir, enfanter, manger, déféquer sont des gestes codés et symbolisés. Ils sont toujours rattachés à l'image de soi et du monde que porte la communauté humaine dans laquelle on vit. Autrement dit, il n'y a jamais eu de Sauvages. C'est un terme inventé par des Européens incapables de comprendre d'autres humains inconnus et cherchant, de ce fait, à les réduire à l'animalité.

Si nous faisons une brève typologie des modèles de représentation que nous avons décrits empiriquement au cours du présent travail, nous pourrions identifier quatre figures: animiste, agricole, technique, écologique. Ces quatre figures (il y en aurait bien d'autres possibles) sont toutes culturellement construites et rendent compte du rapport à la nature dans un ordre social et technique donné.

La figure animiste

La figure animiste perçoit le monde comme un tout quasi indistinct où l'être humain se perçoit surtout en continuité avec la nature. D'où la prévalence des images maternelles de la Terre et de la Nature comme mère primordiale. Cette vision correspond à une pratique de la cueillette et de la chasse. Chez les Amérindiens, la violence et la rupture de la chasse ou même de la cueillette sont constamment sublimées par une forme d'incantation. Lorsqu'une femme vient couper les racines d'un jeune cèdre, elle commence par invoquer l'arbre: «Regarde-moi, ami! Je viens te demander ton habit car tu es venu par pitié pour nous: il n'y a rien en toi qui ne puisse nous être utile, car telle est ta volonté: tout est utile en toi, parce que tu as réellement voulu nous donner ton habit. Je viens te demander cela» (McLuhan 1971: 53-54). Le langage semble naïf mais il est le fruit d'une construction remarquable: «le Lakota était empli de compassion et d'amour pour la nature. Il aimait la terre et toutes les choses de la terre, et son attachement grandissait avec l'âge. Les vieillards étaient -littéralement - épris du sol et ne s'asseyaient ni ne se reposaient à même la terre sans le sentiment de s'approcher des forces maternelles» (McLuhan 1971: 17). «Le Grand Esprit est notre père, mais la terre est notre mère. Elle nous nourrit; ce que nous plantons dans le sol, elle nous le retourne, et c'est ainsi qu'elle nous donne les plantes qui guérissent. Quand nous sommes blessés, nous allons à notre mère et nous efforçons d'étendre la blessure contre elle pour la guérir» (McLuhan 1971: 33).

C'est une pensée construite, organisée. Les études ethnologiques actuelles montrent que les peuples de cueillette et de chasse possèdent une taxonomie très poussée des plantes et des animaux ainsi qu'une compréhension profonde des écosystèmes dans lesquels ils vivent ainsi que des conditions de leur équilibre. La perception d'une même communauté de destin est impressionnante. Nous sommes dans une symbolique de l'insertion. Nous n'avons malheureusement pas de point de référence pour juger de la dimension plus proprement idéologique: il arrive que les gestes réels ne soient pas conformes à la représentation qu'on s'en donne.

La figure agricole

La figure agricole a son expression parfaite dans la spiritualité de l'intendance correspondant à la double observation de la Genèse: «emplissez la terre et soumettez-la;» «il l'établit dans le jardin d'Éden pour le cultiver et le garder.» Elle témoigne d'une double évolution: l'avènement de la maîtrise de techniques permettant d'aménager le sol et donc de transformer le milieu; la mise en place d'une représentation du monde qui fait de cet aménagement une responsabilité, un devoir. L'être humain alors humanise (ou divinise) le monde, dans le cadre d'une vision d'un ordre du monde voulu par Dieu et inscrit dans la nature. Nous sommes dans une symbolique de la collaboration et de l'obéissance, ainsi que le chantait le credo du paysan:

«L'immensité, les cieux, les monts, la plaine,
l'astre du jour qui répand sa chaleur,
les sapins verts dont la montagne est pleine,
sont ton ouvrage, Ô divin créateur.»

Mais le paysan laboure, sème, sarcle, brûle, taille, cueille. Il ne profane pas: il contribue à une œuvre commune. Il obéit à un devoir sacré. Il fait rendre à la terre son fruit. Ainsi en témoigne le psaume qui dit de Dieu: «tu fais croître l'herbe pour le bétail, et les plantes à l'usage des humains pour qu'ils tirent le pain de la terre et le vin qui réjouit le cœur de l'homme, pour que l'huile fasse luire les visages» (*Psaume* 104, 14-15).

La figure technique

La figure technique opère une rupture quasi complète d'avec le milieu écologique. Elle disloque les cohérences anciennes et fait de la nature une réalité inerte que l'être humain doit organiser à sa guise. Nous entrons dans une métaphore de la question, au double sens du mot: il faut soumettre la nature à la question, la triturer, la forcer, la violenter pour l'astreindre à nos vues. C'est une image de conquête. Et il faut nous poser des questions à son sujet pour en comprendre la structure, en décoder le chiffre. La nature devient un sujet d'études et de recherches. La recherche est à elle-même sa propre fin. La chimie et la physique permettent de décoder la structure de la matière et donc de détruire massivement (notamment par la bombe qui libère la puissance de l'atome) ou de recomposer de nouvelles substances. La figure technique par excellence est celle du diablotin de Laplace: si nous connaissions à un moment donné l'état exact du monde, nous en reconstruirions infailliblement le passé et l'avenir. L'univers est une horloge, une mécanique. Il suffit d'en apprendre méthodiquement et patiemment tous les rouages pour être en mesure de reconstruire l'horloge qui nous plaira.

Nous quittons alors le monde du naturel pour l'univers de l'artificiel. Ce qui est vrai, c'est l'artificiel, le naturel paraissant ténébreux, magique, ancien. L'automate des Contes d'Hoffmann est la femme par excellence. Le discours technique sur la nature est essentiellement un discours de fuite en avant: chaque nouvelle technique entraîne de possibles désordres qui seront corrigés par un nouvel ajustement technique qui génère, à son tour, ses propres abus.

La figure écologique

La figure écologique prend acte des faillites de la figure technique. Elle redécouvre le milieu écologique comme un milieu vivant possédant une organisation d'une extrême complexité. Il ne s'agirait pas simplement d'erreurs de parcours, le diablotin de Laplace n'ayant pas fini son inventaire, mais d'erreurs de perspectives qui laissent entrevoir une insuffisance explicative d'un système causal simple. Nous serions plutôt en présence d'un système causal non-linéaire fait d'aléatoire et de chaotique. On ne pourrait donc ici corriger les accidents de parcours par un simple ajustement de la technique. Il faut un changement de perspective: réintroduire le sujet humain dans la nature, réintroduire la nature dans le projet humain. Paradoxalement, la figure écologique réintègre donc l'éthique et la mystique comme des dimensions constituantes de la tâche humaine dans le monde.

On peut représenter ces quatre figures comme se suivant dans le temps selon une chronologie linéaire. Mais, en réalité, ces quatre figures sont actuellement en action, peut-être pas en tant que modèles vécus mais certainement en tant que modèles pensés. Dans la réalité quotidienne, nous sommes tous à l'âge de la technique: les bouddhistes zen prennent l'avion, la pêche se fait au sonar, l'agriculture utilise des semences génétiquement modifiées, les produits «naturels» des boutiques spécialisées et les cosmétiques des *Body Shops* sont transportés par avion ou par camion et vendus selon les techniques sophistiquées du marketing moderne.

C'est en tant que modèles pensés que les quatre figures subsistent. On les retrouve chez des mystiques animistes, ou dans la *Deep Ecology*, ou dans les sectes, ou dans l'enseignement universitaire. La figure écologiste hésite, par exemple, entre la dénonciation totale de la figure technique ou sa possible intégration dans une sagesse nouvelle. Aucune de ces figures n'est naïve, ou simplement objective comme un fait incontournable. Elles sont toutes quatre des constructions culturelles plus ou moins capables de répondre aux besoins, aux attentes, aux malaises de notre société. Toutes les quatre sont des figures idéologiques. Nous pouvons penser que la quatrième, la figure écologique, est davantage capable de faire face à la réalité présente, étant donné le constat que nous pouvons déjà établir de l'état de l'environnement et des causes de sa dégradation. De plus, elle peut tirer des figures antérieures des éléments de sagesse. À mon sens, la figure animiste est incapable de rendre compte de la technique.

Dans un petit livre difficile mais souvent cité, Félix Guattari parle des trois écologies: environnementale, sociale et mentale. Sa thèse illustre la complexité du problème. Je pense avoir montré que la question est à la fois technique, éthique et spirituelle. Dans la course à l'écologie, dans l'enseignement et la diffusion populaire, nous assistons à une rivalité entre les sciences, pour s'approprier une forme de magistère écologique. Dans son fond, le problème me semble philosophique car toute action dépendra de notre image du monde et de l'être humain. Guattari parle d'écosophie. Peut-être. Une sagesse à la fois, englobante, ouverte et critique. Il faut sur ce point se méfier des visions trop simples.

La philosophie, ce discours évacué des curriculums parce que trop peu rentable, fait un retour. Il lui restera à se montrer à la hauteur de sa tâche. Dans un petit roman célèbre, *Des souris et des hommes*, John Steinbeck met en scène un simple d'esprit aux mains trop fortes qui tue infailliblement ce qu'il ne veut que caresser. Quand il est séduit par une femme, c'est le drame. Les humains sont-ils devenus ce simple d'esprit dont la puissance technique aurait pris un tel essor qu'il se met à détruire tout ce qu'il ne voudrait que posséder, voire même simplement caresser? Qui accède à la force doit aussi acquérir la mesure de sa force et peut-être apprendre à ouvrir les mains plus qu'à les fermer. L'amour de la terre, le service d'autrui et l'ouverture d'esprit sont les trois tâches urgentes qui nous attendent.

Envoi

Nous avons inscrit notre petit livre sous la métaphore du jardin. Depuis la Renaissance, c'est la métaphore de la mécanique ou de l'automate qui prévaut, celle d'un monde entièrement inventé *ex nihilo* par l'être humain. Nous savons maintenant que ce type de monde n'est ni viable ni humain. Face à la crise écologique, certains évoquent la métaphore du chaos, de la bombe, de la catastrophe, insinuant le retour vers la mort et l'entropie des aventuriers du feu que nous aurons été. C'est la route de la mort. D'autres préfèrent la métaphore du retour en arrière, de la régression vers le passé, au temps du pléistocène. C'est la route de l'oubli. Nous proposons simplement une des plus vieilles images de l'histoire, celle du jardin. Ni nature sauvage, ni obsession productiviste, le jardin demande de la science, de l'art, de la gratuité, et de l'amour en plus. Il amorce les réconciliations par-delà les trop dures ruptures que nous connaissons.

Rien n'est gagné d'avance. Mais il n'est pas trop tard non plus. Nous sommes à l'heure de la décision, j'allais dire de la conversion. Une conversion difficile, complexe, mais impérieuse. Dans notre milieu, le plaisir du jardinage est en pleine explosion. Simple mode? Simple nostalgie d'urbains oisifs, manipulés par la publicité qui leur vend des bulbes génétiquement modifiés et des engrais, puis qui les pousse vers quelque faux tape-à-l'œil? Peut-être. Le scepticisme n'est pas inutile. Il me semble pourtant que le désir mis en œuvre dépasse son propre objet et pointe vers plus grand que lui. La réponse n'appartient ni au marchand de fleurs, ni au centre de jardinage. Elle s'adresse aux apprentis jardiniers qui sèment, peut-être sans s'en rendre compte, les plantes qui garderont l'humanité de périr. J'entends dans ma mémoire la «petite fleur» de Sidney Bichet et je me dis que la fleur la plus importante ne se sème pas en terre, mais quelque part au fond du cœur. Elle garde le cœur de vieillir. Elle le préserve de la sécheresse et de la dureté. Appelons-la amour de la Terre et des Humains, tout simplement.

Bibliographie succincte

ARRIEN, Angeles, 1993. *The Four-Fold Way*, San Francisco, Harper XVII, 203 pages.

BEAUCHAMP, André, 1991. *Pour une sagesse de l'environnement*, Montréal, Novalis, 221 pages.

BEAUCHAMP, André, 1993. *Introduction à l'éthique de l'environ-nement*, Montréal, Éditions Paulines, 224 pages.

BEAUCHAMP, André, 1995a. *Dans le miroir du monde*, Montréal, Médiaspaul, 216 pages.

BEAUCHAMP, André, 1995b. «Un contrat nouveau. Spiritualité de l'environnement», revue *Relations* no. 613, septembre 1995, p. 202-210.

BEAUCHAMP, André, 1995c. *Crise de l'environnement et représenta-tions de la place de l'être humain dans le cosmos*, Ottawa, Concacan inc. (Conférence des évêques catholiques du Canada), 39 pages.

BEAUCHAMP, André, 1996a. *L'électricité est-elle à risque? Les champs électromagnétiques et la santé humaine*, Montréal, Bellarmin, 216 pages.

BEAUCHAMP, André, 1996b. *Gérer le risque, vaincre la peur,* Montréal, Bellarmin.

BOOKCHIN, Murray, 1991. *The Ecology of Freedom,* Montréal/New-York, Black Rose Books LXI, 385 pages (revised edition).

BOUGUERRA, Mohamed Larbi, 1993. *La recherche contre le Tiers Monde,* Paris, Presses Universitaires de France, 293 pages.

DESJARDINS, Joseph R., 1995. *Éthique de l'environnement. Une introduction à la philosophie environnementale,* Sainte-Foy, Presses de l'Université du Québec, 304 pages.

DOUGLAS, Mary et Aaron VILDAVSKY, 1983. *Risk and Culture,* Berkeley and Los Angeles, University of California Press, 221 pages.

DOUGLAS, Mary, 1992. *De la souillure. Étude sur la notion de pollution et de tabou,* Paris, La Découverte, XI, 193 pages.

FERRY, Luc, 1992. *Le nouvel ordre écologique. L'arbre, l'animal et l'homme,* Paris, Grasset, 275 pages.

GROUPE DE LISBONNE, 1995. *Limites à la compétitivité,* Montréal, Boréal, 225 pages.

GANOCZY, Alexandre, 1995. *Dieu, l'homme et la Nature. Théologie, mystique, sciences de la Nature,* Paris, Cerf, Cogitation Fidei 186, 347 pages.

GUATTARI, Félix, 1989. *Les trois écologies,* Paris, Éditions Galilée, 72 pages.

JONAS, Hans, 1992. *Le Principe Responsabilité. Une éthique pour la civilisation technologique,* Paris, Cerf, 336 pages.

LEWIN, Roger, 1991 (1984). *L'évolution humaine,* Paris, Seuil, Points Sciences 570, 408 pages.

LOVELOCK, J.E., 1979. *La terre est un être vivant. L'hypothèse Gaïa,* Paris, Éditions du Rocher, 183 pages.

MAILHOT, José, 1993. *Le savoir écologique traditionnel. La variabilité des systèmes de connaissance et leur étude, évaluation environnementale du projet Grande Baleine: Dossier synthèse no 4,* Bureau de soutien de l'examen public du projet Grande Baleine, 52 pages.

McLUHAN, T.C., 1972. *Pieds nus sur la terre sacrée,* Paris, Denoël/Gonthier, Méditations 141, 214 pages.

OST, François, 1995. *La nature hors la loi: l'écologie à l'épreuve du droit,* Paris, La Découverte, 346 pages.

PEELMAN, Achiel 1992. *Le Christ est amérindien,* Outremont (Québec), Novalis, 346 pages.

PELT, Jean-Marie, 1990. *Le tour du monde d'un écologiste,* Paris, Fayard, 488 pages.

ROSE, Ruth, 1996. «Le libre-échange et les programmes sociaux», revue *Relations,* no 617, janvier-février 1996, p. 20-23.

RUFFIÉ, J., 1983. *De la biologie à la culture,* Paris, Flammarion, coll. Champs 128-129, deux volumes 303 et 334 pages.

SERRES, Michel, 1990. *Le contrat naturel,* Paris, François Bonin, 191 pages.

SFEZ, Lucien, 1992 (1988). *Critique de la communication,* Paris, Seuil, 520 pages.

TAVARD, Georges, 1988. *Les jardins de Saint-Augustin. Lecture des Confessions,* Montréal, Bellarmin, 134 pages.

Table des matières

• Cap-Saint-Ignace
• Sainte-Marie (Beauce)
Québec, Canada
1996

« L'IMPRIMEUR »